蓝鹦鹉格鲁比

科普故事

音乐之旅

〔瑞士〕丹尼尔·穆勒 绘 〔瑞士〕利兹·萨特 著

陈轶荣 译

中国水利水电出版社
www.waterpub.com.cn
·北京·

内 容 提 要

  本书是《蓝鹦鹉格鲁比科普故事》中的一本，是一本称得上是"音乐百科全书"的少儿科普读物。在这本书中，格鲁比会带领小朋友开启一场激动人心的探索音乐的旅程：从对声音的探索到美妙乐音的形成；从各式各样的乐器，到各种风格的表演；从音乐的发展史到各种音乐流派的介绍；从世界各国的著名音乐家、作曲家到他们各自擅长的乐器和经典的曲目……总之，这是一本包罗万象的音乐启蒙书，小读者们会在这本书中发现音乐世界的丰富多彩，感受音乐的迷人之处，并在快乐的阅读体验中收获大量的音乐知识。

图书在版编目（ＣＩＰ）数据

  音乐之旅 /（瑞士）利兹·萨特著 ；（瑞士）丹尼尔·穆勒绘 ；陈轶荣译. -- 北京 ：中国水利水电出版社，2022.3
  （蓝鹦鹉格鲁比科普故事）
  ISBN 978-7-5226-0361-2

  Ⅰ．①音… Ⅱ．①利… ②丹… ③陈… Ⅲ．①音乐－少儿读物 Ⅳ．①J6-49

中国版本图书馆CIP数据核字（2022）第000331号

Musik mit Globi – Eine Reise durch die Welt der Töne
Illustrator: Daniel Müller /Author: Liz Sutter

Globi Verlag, Imprint Orell Füssli Verlag,
www.globi.ch
© 2013, Orell Füssli AG, Zürich
All rights reserved.

北京市版权局著作权合同登记号：图字 01-2021-7101

书　　　名	**蓝鹦鹉格鲁比科普故事——音乐之旅** LAN YINGWU GELUBI KEPU GUSHI —YINYUE ZHI LÜ	
作　　　者	〔瑞士〕利兹·萨特 著　　　陈轶荣 译	
绘　　　者	〔瑞士〕丹尼尔·穆勒 绘	
出 版 发 行	中国水利水电出版社 （北京市海淀区玉渊潭南路1号D座　100038） 网址：www.waterpub.com.cn E-mail：sales@waterpub.com.cn 电话：（010）68367658（营销中心）	
经　　　售	北京科水图书销售中心（零售） 电话：（010）88383994、63202643、68545874 全国各地新华书店和相关出版物销售网点	
排　　　版	北京水利万物传媒有限公司	
印　　　刷	天津图文方嘉印刷有限公司	
规　　　格	180mm×260mm　16开本　6印张　96千字	
版　　　次	2022年3月第1版　2022年3月第1次印刷	
定　　　价	58.00元	

前 言

亲爱的小读者们，格鲁比的粉丝们：

不知你们是否留意到，世界其实处处有声音，或乐音、或噪音：听，树叶在沙沙作响，飞机从天空隆隆飞过，一只猫咪正在"喵呜、喵呜"地叫唤，期待已久的下课铃声终于响起……即使在万籁俱寂的时候，我们也能听到自己的心跳和呼吸声。

人类渴望突破语言和文字，用音乐和节奏来表达自我，这种渴望穿越千年，延续至今。从原始人最简单的乐器表演，到丰富多彩的音乐形式逐步形成；从明快的经典歌曲，到纯真的约德尔唱法；从摇摆的爵士，到夹杂着鼓点的嘻哈和电子音乐……如今，音乐几乎无处不在：购物中心轻柔的音乐撩拨着我们的购物欲望；电话热线的音乐让等待变得不再漫长；动作电影里惊心动魄的场景，在音乐的烘托下，震撼着我们的内心。当我们觉得此刻应该有音乐的时候，只需要轻轻按下音乐播放键即可。

生活离不开音乐。有人愿意在没有音乐的世界里生活吗？游乐园花车巡游、电脑游戏、电视节目统统变成无声的电影？恐怕没有人愿意吧。一位伟大的哲学家曾说："没有音乐，生活就没有意义。"

所以，来吧，和蓝鹦鹉格鲁比一起去探索音乐的历史！激动人心的体验和意想不到的音乐奇遇都在这本书里，等待着大家去发现。

米夏埃尔·比勒（Michael Bühler）
苏黎世室内乐团团长
瑞士青少年音乐协会会长

目录

音乐让人沉醉

  在一个阳光灿烂的夏日，蓝鹦鹉格鲁比听到了一首曲子。他瞬间就爱上了这首曲子，并且深深为之着迷。

  那天非常适合散步，晴空万里。一路上，格鲁比听着树叶沙沙作响，河水的波浪"哗啦哗啦"地拍打着河岸，水面上的鸭群"嘎嘎、嘎嘎"地叫着。突然，音乐响了起来。多么美妙啊！如果音乐是美食，那么这段旋律一定是挤上了香甜奶油的新鲜草莓。格鲁比停了下来，侧耳倾听，才发现是一位音乐家正在演奏单簧管。

  格鲁比聚精会神地听着，音乐家对此感到非常欣喜，继续边走边吹奏。格鲁比紧跟着音乐家，不愿错过一个音符，如痴如醉地欣赏着这美妙的音乐。

　　过了一会儿，音乐家向格鲁比介绍自己：
"你好，格鲁比，我叫本！"格鲁比好奇地问道：
"你好，本！你演奏的是什么曲子？"音乐家回
答："这首曲子叫《一朵小花》（法语原名 *Petite
Fleur*）。"格鲁比欣喜地感叹道："好听！""一起
来吧！"音乐家说，"动听的曲子还有很多！"

　　本是知名管弦乐队的成员，乐队定期排练。
今天，他们会为格鲁比演奏什么呢？

圆舞曲《蓝色多瑙河》响起来了，格鲁比跟着音乐的旋律，情不自禁地舞动起来。

紧接着，乐手们开始演奏《拉德斯基进行曲》，格鲁比惊呼道："我以前参加节日阅兵的时候，听过这首曲子！"话音未落，他干净有力地踢起正步。

下一首曲子的旋律庄严而恢宏，让人不由自主地像国王一样昂首阔步。

乐队的指挥向格鲁比解释道："这是格奥尔格·弗里德里希·亨德尔的管弦乐组曲——《水上音乐》。亨德尔大约在 300 年前为英国国王创作了这个组曲。"
这时，本突发奇想，说道："格鲁比，既然你这么喜欢音乐，不如和我们去英国参加我们的音乐会吧！"

你可以听见什么？

每个小朋友都知道，世界上有许多不同的声音。不过，可以发出声音的不只有乐器和嘴巴，世界的各个角落都有各种各样的声音。

大家闭上眼睛，仔细听听……你听到了什么？

猫咪"喵一呜、喵一呜"的叫声？电话"丁零丁零"的铃声？还是汽车呼啸而过的"轰轰"声？

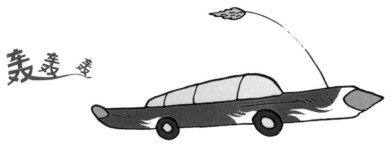

描述声音

如果两个人同时在看这本书，那就太好了，试着轮流讲讲，在接下来的一分钟里，你们听到了什么。有多少种不同的声音？4 种，7 种，甚至更多？

接下来是第二轮游戏，试着描述一下你听到的声音有多响。举个例子：我听到了摩托车的声音，特别响。我听到了树叶的声音，"沙沙……沙沙"，非常轻。

除此之外，你们还可以描述声音的高低、长短。比如，飞机的声音，低沉冗长；鸟儿的声音，则高亢短促。

假如只有你一个人，也不要紧。你可以把自己刚刚听到的声音记录下来。你听：铅笔在纸上沙沙地划过，轻柔绵长。

好了，现在试试看，什么都不要听！

什么都不听：真的能做到吗？

　　现在，走到房间最安静的角落里，紧紧地捂住耳朵。这样一来，应该就完全听不到任何声音了吧！不对，还是有声音？

　　是不是有什么东西在那儿沙沙作响？又是什么发出了"扑通扑通"的声音？

　　不管你愿不愿意承认，什么都不听是做不到的。为什么会这样？因为，你的身体也会发出声音。只要我们还活着，身体就会发出"扑通扑通""呼哧呼哧""咕噜咕噜"的声音。那是心脏在跳动、呼吸在起伏和肚子饿了的表现。

聆听无声音乐

约翰·凯奇的音乐实验

　　美国先锋派作曲家约翰·凯奇曾把自己锁在消音室里。消音室是一种把内部声音反射和外部杂音都减到最小的声学实验室，也就是说，在这样的房间里，根本"听不到任何声音"。就像所有试图什么都不去听的人一样，在那个房间里，约翰·凯奇听到了自己的心跳声，听到了血液在体内的涌动。因此，他在1952年创作了无声乐曲《4分33秒》(4'33")。全曲没有任何一个音符，所有乐手只是在舞台上静坐了4分33秒。这位作曲家并不是在愚弄听众，而是想让听众明白，即使没有乐器演奏，大家还是可以听见些什么。对他来说，重要的不只是乐器的声音——所有的声音都很重要。

来吧，走进厨房，让声音碰撞！

想要听到声音，并不一定非得用乐器。只要有柄木勺或筷子就够啦！

敲一敲

用木勺敲一敲房间里或厨房里的各种物体。敲击一本书，听到什么声音？再敲一敲 CD 光盘的盒子，又是什么声音？敲一敲切菜的砧板，再敲一敲锅碗瓢盆。什么材质发出的声音非常短促？什么材质的物品被敲击后，会发出长长的尾音？

刮一刮

当你用木勺刮过擦萝卜丝的刨丝器时，听起来是什么样的声音？不同形状、不同大小的刨丝器，听起来会不会不一样呢？

吹一吹

用一张做手工的薄纱纸包住梳子的梳齿，再把梳齿放到嘴边，试着吹响一段旋律吧。我敢肯定，梳子一定会跟着旋律发出声音的！如果在吹奏的过程中嘴唇发痒，就说明吹奏的动作非常到位！

拍一拍

取一个空的圆形小铁罐，用透明的塑料纸盖住罐口，再用两到二根橡皮筋扎紧罐口。罐子上的塑料纸绷得越紧，小铁鼓的声音就越清脆。

摇一摇

你们家会不会把干燥的大豆、豌豆或小扁豆存放在塑料罐子或金属罐子里？如果这些罐子有盖子，只需要盖紧盖子，一件完美的节奏乐器就诞生了。

如果没有，那也不成问题。在洗净的塑料酸奶杯里放两把豌豆、大豆或大米。用一个同样大小的酸奶杯盖住酸奶杯的杯口，再用透明胶带将两个杯子粘牢。简易的沙槌就做好啦！

不锈钢盆"咣咣"响

不锈钢盆的盆底和盆盖都很适合敲打，"咣咣"两下，好不"悦耳"。不用我说，你们大概早就试过。但是，用这些厨房里的炊具"奏乐"时，可得小心一些，吵到别人就不好了。

厨房交响乐队

乐器备齐了，叫上家人和朋友一起演奏吧！每人挑一样自制的乐器。你可以先奏响第一个音符，再带动大家一个接一个跟上，一起演奏。一重奏、二重奏、三重奏、四重奏……欢迎来到厨房交响乐的现场！除了吹奏梳子的乐手没法唱歌之外，其他乐手还可以尽情歌唱！一起享受音乐吧！

彼此交流、相互融合

格鲁比和本乘坐火车，穿过英吉利海峡，在伦敦圣潘克拉斯国际火车站下了车。

他迫不及待地来到泰晤士河畔，一睹大河的风采。在著名的塔桥附近，他和本一起见证了一场盛大的庆典。

这是英国女王伊丽莎白二世的登基钻禧纪念庆典，满眼华丽的游船，到处响着动听的音乐，全国上下都在欢庆女王在位 60 周年！突然，格鲁比兴奋地喊道："这个旋律我听过！就是那组写给国王的曲子！"本点点头，说道："没错！这就是亨德尔的《水上音乐》，起初是为英国国王乔治一世所作。这位国王也是德国汉诺威的选帝侯，德文名为格奥尔格（Georg），和作曲家格奥尔格·亨德尔同名。"

回到酒店后，格鲁比发现墙上挂着一幅古老的画，下方有一块牌子，上面写着：

格奥尔格（Georg）+ 格奥尔格（Georg）

国王和作曲家，1717 年于泰晤士河

与画中人对话

格鲁比问画中的亨德尔先生："您和国王很熟吗？""我当然认识乔治一世国王！我给他的孩子上过音乐课，还管理过他的皇家歌剧院！在他成为英国国王之前，其实一直生活在德国。我们在那个时候就认识了。""什么？英国国王是个德国人？""没错，我们俩后来都成了英国人。在那之前，我还在意大利生活过。"

过了一会儿，本回来了，格鲁比一股脑问了他好多问题："亨德尔去过那么多地方，他是怎么做到的？300 多年前，都还没有高铁和飞机呢，对吧？还有，什么是神剧啊？……"本笑着说："别急，别急，我一个一个地回答你！"于是，本解释道，"从古至今，哪儿有工作，人就往哪儿去。像亨德尔这样的艺术家，会去由各国国王和贵族的宫廷举办音乐会，甚至担任一些职务。至于当时使用什么交通工具，他们有时会步行，有时会乘坐马车或轮船。"至于神剧是什么，本解释道："神剧，就是用音乐的形式来重新讲述《圣经》故事，演出地点通常在教堂。至于什么是音乐剧，今晚你就会明白啦！"

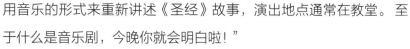

近在伦敦的"非洲"

晚上，格鲁比坐在莱西姆剧院观看音乐剧《狮子王》。他这才明白，"音乐剧"就是指一种用音乐来表现故事的戏剧。第一首歌曲《生命之环》（Circle of Life）一响起，格鲁比就完全被迷住了。舞台上各种各样的动物来回穿梭，慢慢地向威严的狮子爸爸和狮子妈妈靠拢。格鲁比不禁感叹："这也是国王的音乐！狮子王也是国王呀。"格鲁比很好奇这段音乐是谁写的。本来，他想要立刻问问旁边的女士。不过，他还是耐着性子，等到了中场休息时才问，因为他知道，演出期间最好不要交头接耳。

坐在格鲁比旁边的女士叫苏珊。她对音乐剧《狮子王》的创作者艾尔顿·约翰可谓了如指掌，她说："艾尔顿·约翰爱穿颜色亮丽的服装，常常戴着夸张的眼镜，是位著名的歌手、作曲家和钢琴家，创作了大量脍炙人口的歌曲。他还被英国女王伊丽莎白二世封为爵士。所以，他也叫艾尔顿·约翰爵士！"

格鲁比想问爵士是不是都会爵士乐。不过，还没等格鲁比开口，苏珊就继续说道："约翰·列侬在四十多年前说过，这是继'披头士乐队'之后，第一首真正意义上的新音乐。"格鲁比问道："谁是约翰·列侬？"苏珊一听，惊得几乎要从椅子上摔下来："你竟然不知道'披头士乐队'？！那可一定得跟我去趟利物浦！"

在去英国利物浦的路上，苏珊向格鲁比讲解：20 世纪 60 年代，"披头士乐队"叱咤乐坛，无数年轻人为之疯狂。途中，格鲁比听了一些"披头士乐队"的专辑，发现这个乐队风格非常多样，他为此惊叹不已。他们的歌曲有的狂野，有的深情，有的旋律简单直接，有的编曲精心巧妙，其中也不乏充满异国情调的歌曲。苏珊告诉格鲁比，"披头士乐队"去过印度，主音吉他手乔治在那儿学会了印度的弹拨乐器——西塔琴。她说："'披头士乐队'善于聆听世界，并把沿途学到的东西融入歌曲里——甚至包括巴赫的音乐。"

格鲁比没有再问巴赫是谁，他可不希望苏珊真的从座位上摔下来，毕竟苏珊现在还握着汽车的方向盘！

在洞穴俱乐部的舞台上，四位年轻的音乐家正在表演"披头士"的经典曲目。苏珊对格鲁比说："他们演得挺好！"酒吧的气氛非常热烈。格鲁比暗自想象，当年真正的"披头士乐队"在这里演出的时候，大概也就是这样的氛围吧。

保罗·麦卡特尼
（Paul McCartney）
（1942- 至今）

约翰·列侬
（John Lennon）
（1940-1980）

乔治·哈里森
（George Harrison）
（1943-2001）

林戈·斯塔尔
（Ringo Starr）
（1940- 至今）

不朽的"披头士"

约翰、保罗、乔治和林戈，四位来自英国利物浦的音乐家，在一起同台合作了十余年。在这十余年的时间里，他们用天马行空的创意和永无止境的探索，一直源源不断地带给观众惊喜，同时也影响了很多其他的音乐团体。弗兰克·辛纳特拉和"猫王"埃尔维斯·普雷斯利这些大明星，都曾翻唱过"披头士"的歌曲。"翻唱"的意思是：歌手用自己的方式重新演绎他人的歌曲。伟大的美国作曲家伦纳德·伯恩斯坦在谈到"披头士乐队"时，曾说："他们是可以让无数人感到幸福的大师。"在此之前，从未有任何一支摇滚乐队，从古典作曲家的口中得到过如此之高的评价。

回到伦敦之后，格鲁比迫不及待地向本讲起这段经历。从艾尔顿·约翰为《狮子王》写的乐曲中的非洲鼓点，讲到"披头士乐队"在印度获得的灵感，最后还提起了苏珊，是她告诉了自己这一切。看来格鲁比的利物浦之行非常成功，本发自内心地替他高兴。更让他开心的是，格鲁比还给他带了"披头士乐队"的创意马克杯。当然，本也为格鲁比准备了一个惊喜。当格鲁比问起巴赫先生究竟是谁的时候，本对格鲁比说："干脆我带你去德国莱比锡拜访约翰·塞巴斯蒂安·巴赫先生吧。正好我放假，有的是时间。中途我们还可以去米兰看场歌剧，顺道再去趟巴黎！"

巴黎！米兰！巴赫！格鲁比激动得不能呼吸。不过，他还有个问题：去拜访巴赫先生之前，是不是得先给他打个电话……

摇滚音乐（Rock Music）

英文单词"rock"的含义丰富，其中包括"摇摆"和"来回抛掷"的含义。这个词完美地诠释了20世纪50年代非常奔放的舞蹈——"摇滚舞"。随着时间的推移，它的音乐——摇滚乐（Rock'n'Roll）与许多其他的音乐风格相互融合，演变为现在的摇滚音乐（Rock Music）。

节拍音乐（Beat Music）

英文单词"beat"表示"拍打、击打"。20世纪60年代，节拍音乐由摇滚乐演变而来，其最为突出的特征就是打击乐均匀有序的节拍。

流行音乐（Pop Music）

流行音乐一词涵盖了自摇滚乐以来所有广受欢迎的音乐风格。

歌唱需要什么？

嗓子，我们的第一件乐器

当你来到这个世界时，发出第一声啼哭，所有的亲人都欣喜不已。你的首秀大获成功！随着年龄的增长，你的声音会发生变化。如果你是个男孩儿，在经历变声期以后，嗓音很可能还会更加低沉。但是，不管你的声音发生什么变化，你的家人朋友一听到你说话，还是能马上辨别出你的声音。没错，嗓音就像你的指纹一样，专属于你。

有了嗓子，我们就可以发出声音吗？

没错，有了嗓子，我们就能说话和唱歌。除此之外，它还可以发出什么声音呢？想到了吗？暂时没有的话，请查看本页最下方的小字。

嗓子不发声，也会有声音吗？

就算嗓子不出声，嘴巴还是可以发出一些声音的。比如，吃饭时的咂嘴声，逗小狗时的"啧啧"声，以及受冻时牙齿的"咯咯"声，这些声音都不需要嗓子参与。试试看吧！

还有一种清亮的声音不需要用嗓子，是用嘴唇和舌头就可以发出的口哨声。

沉入海底、高到天际

你一定已经发现，外公的声音比你的低沉。嗓音的高低与年龄和性别有关。同时，同一性别和年龄的女性或男性，他们的嗓音也会存在差异。女性的声音可以大致分为女低音、女中音和女高音。同理，男性的声音也分为男低音、男中音和男高音。

他能唱歌、吹嘘、喝倒彩、悄悄说话、大声尖叫、小声嘟哝……

试着从低音到高音一展歌喉吧。这样，你就会知道自己能哼到多低、飙到多高，这大概就是你的音域范围。注意，不用力挤压嗓子就能发出的音高，才能算入你的音域范围。

能说出来的，也都能唱出来

试着唱一唱"格鲁比"这个名字！没有加粗的部分请轻轻唱，加粗的部分大声地唱：格鲁鲁鲁鲁鲁鲁鲁鲁鲁**鲁哦哦哦哦**比！

再试试更欢快一点儿的节奏：格鲁**波波波波波波波波波**比比！

如果感兴趣的话，你还可以学小猫或小狗的叫声，并用这样的声音来完成一首歌曲："喵呜——喵呜——""汪汪！汪汪！"

给旋律加上歌词

歌曲的旋律和节奏，可以让我们感觉到它的欢乐或悲伤。不过，只有歌词才能告诉我们，这首歌讲述的究竟是什么故事：是描述一只偷鸡的狐狸，还是回忆一次山间漫步，或是歌颂空中的月亮？也有许多歌曲讲述的是爱情故事，有幸福的，也有不幸的。有时候，歌曲是先有旋律，再有歌词。但在大多数情况下，旋律和歌词产生的顺序恰好相反。比如，作曲家会为一首诗谱曲，也会把一则故事谱写成一整部歌剧。

全世界最著名的爱情故事

你一定听说过罗密欧和朱丽叶这对恋人。家族仇恨不允许他们在一起，但二人并没有放弃对彼此的爱。可惜一连串的误解酿成悲剧，一对爱人先后离世。这个故事的情节并不复杂，讲述的方式才是故事动人的关键：

在 400 多年前，伟大的英国作家威廉·莎士比亚（William Shakespeare）把罗密欧与朱丽叶的爱情故事写成了戏剧。这部戏剧至今仍在上演。这个故事还被多次拍成电影，并且吸引了许多作曲家进行创作。目前，至少有七部歌剧、一部芭蕾舞剧和一部音乐剧《西区故事》（West Side Story），讲述这个凄美的爱情故事。

伟大的情感
——为之歌唱、为之起舞

刚走到巴黎的街头，格鲁比就被一家甜品店里五颜六色的点心吸引住了。这些用巧克力、水果和杏仁泥制成的甜品堪称艺术品，他目不转睛地盯着橱窗，迈不开腿，心想："这些真的都能吃？"突然，不远处美妙的歌声吸引了格鲁比的注意，他问道："是谁唱得这么动人？"

本答道："是艾迪特·皮雅芙。"

格鲁比激动地问："我们可以在舞台上看到她吗？"

本回答："她早就过世了。不过，她的嗓音和她的香颂将会永远在这个世界上流传。"

格鲁比说："香颂是法语词'Chanson'的音译，意思是'歌曲'，我说的没错吧？"

"没错！"本答道。随后，他们循着歌声，走进了一家餐馆。

巴黎小麻雀

　　艾迪特·皮雅芙是世界著名的香颂歌手，她的美名延续至今。10 岁时，皮雅芙就已经成为街头歌手。后来，她开始在各大音乐厅演出，无与伦比的嗓音让全世界的听众为之着迷。皮雅芙身材矮小，只有 1.47 米，由此得名"巴黎小麻雀"。1963 年，艾迪特·皮雅芙去世，4 万人参加了她的葬礼。直至今日，在她的墓碑前，仍然常有人敬献鲜花！

　　在餐馆里，格鲁比用法语点餐。很快，他点的橙味汽水就端上来了。他自豪地对本说："我敢肯定，所有人都把我当法国人了，谁让我的法语这么好呢！"本答道："也可能是因为你戴着贝雷帽：这个帽子本身就非常'法国'。在中世纪的宫廷里，有些善于写情诗、唱情歌的歌手，他们也爱戴帽子，那种帽子和你戴的贝雷帽很像。这些歌手走遍一座座城堡和宫殿，一面弹奏着琉特琴，一面演唱着他们的恋歌。"

　　格鲁比接着问道："艾迪特·皮雅芙唱过情歌吗？""唱过。"本回答，"她歌唱的是普通人之间的爱情。"格鲁比接着说："我感觉，法国人很看重他们的香颂。"本说："是的。乔治·巴桑的一些歌曲甚至还被编入法国的教科书了。巴桑是法国最著名的香颂歌手之一，被称为现代游吟诗人。"

第二天，本告诉格鲁比："我们可以去香榭丽舍剧院看剧团的彩排，是不是超棒！他们排演的是伊戈尔·斯特拉文斯基的芭蕾舞剧《春之祭》（ Le Sacre du Printemps ），我的同事伊夫在那儿演奏巴松管。"

格鲁比心想："香榭丽舍剧院，大概就在宽阔的香榭丽舍大街上！我看过彼得·柴可夫斯基的芭蕾舞剧《天鹅湖》，《春之祭》肯定也和《天鹅湖》一样优雅！"

但现实和格鲁比的预想完全不同。香榭丽舍剧院所在的街道并不是那么宽广，剧院像是一栋古老的欧式建筑。此外，在格鲁比看来，《春之祭》的音乐非常混乱，舞蹈也毫不优美。并且，格鲁比根本不喜欢这部舞剧的服装，他非常失望，说道："舞者们穿的居然是内衣！"

本安慰格鲁比道："这部舞剧首演的时候，观众的情绪跟你一样。那是一百年多前，也是在这个剧院。当时的观众也期待看到《天鹅湖》式的古典芭蕾舞剧，但这部现代舞剧的表达方式完全不同。它演的是人们向春神献祭的情景。当时的观众欣赏不了这样的作品，有些人甚至感到非常愤怒，剧场内爆发了骚动，斯特拉文斯基大惊失色，逃离了剧院。这在当时，可是轰动一时的大新闻！"

　　格鲁比不满地嘟囔道："谁让他编写这么难看的舞剧?！"本
解释道："所有艺术家都想要创新。创作的时候，免不了受到周
围环境的影响。斯特拉文斯基在 1913 年创作《春之祭》的时
候，正好是动荡不安的时代。"格鲁比不服，说道："写了也
没人懂！"本接着说："随着时间的推移，人们学会了欣赏
这样的作品。要知道，'披头士乐队'刚出现的时候，
也有许多人很反感这支乐队，认为他们的音乐
很疯癫、很吵闹。再看看现在，哪会有
那么多人讨厌'披头士'，这在以
前完全不可想象。"

　　慢慢地，格鲁比的耳朵竟也习惯了《春之祭》里那些光怪陆离的声音。演出结束以后，他幸运地得以看到了《春之祭》的总谱。那是乐队指挥的乐谱，乐曲里所有乐器的分谱都集中在这一本乐谱上。格鲁比感叹道："天哪？！您指挥的时候，一次性要看这么多行乐谱吗？！"乐队指挥回答："没错！总谱很繁复，但我早已倒背如流了！"格鲁比听完，又惊叹，又佩服。

　　伊夫向格鲁比展示他的巴松管。"巴松"这个名字源于意大利语，大意为"一捆木头"。这种乐器看着确实像是折叠的木管，全长约有 2.5 米，长度与最短的阿尔卑斯长号相当。

　　巴松管，也叫大管、低音管。此外，总长为巴松管两倍的低音巴松管，也叫倍低音管，是巴松管的变形乐器。

木管乐器及其名称

　　为什么长笛和萨克斯的管身明明都是金属的，却被归为木管乐器？为什么从头到脚都是木头的阿尔卑斯长号却不算木管乐器？木管乐器，是管乐器的一种。而管乐器可分为木管乐器和铜管乐器，它们的区别不在于乐器的材质，而在于吹嘴的构造。所谓吹嘴，就是演奏时需要用嘴往里吹气的那部分，又名吹口。

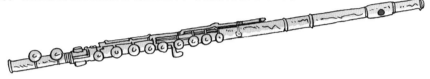

长笛，长笛家族中还有一种变种乐器，叫短笛，长度为普通长笛的一半，音域比长笛高 1 个八度。

单簧管，又称黑管。这个家族中的乐器长度差异很大：短的大约 0.5 米，长的有 3 米。

双簧管，其中也包括英国管和巴洛克双簧管。

　　竖笛，这是一个庞大的家族，从超高音笛到倍低音笛各种音高，应有尽有。

　　萨克斯管，这种乐器共有八种尺寸——从最小的超高音萨克斯管到最大的倍大低音萨克斯管。

音乐带着我们舞蹈

"嘭嘭！嘭嘭！"

当你阅读这本书的时候，你的心脏每分钟大约跳动 80 到 100 次；当你快速奔跑的时候，心跳会增加到每分钟 170 次。几千年前，人类产生了在绷紧的兽皮上拍打的想法，用来模仿心脏和脉搏的"嘭嘭"跳动。想象一下，鼓手伴随着鼓点舞动自己的身躯，带动周围的听众一起跺脚，一起舞蹈。

节奏

试着用手掌在桌面或书皮上，匀速拍打出响亮的"嘭嘭"声。现在，试着先重重地拍打一次，再轻轻地拍打一次："嘭！哒。彭！哒。"很棒，现在先打一个重拍，再打两个轻拍："嘭！哒，哒。嘭！哒，哒。"很不错！这就是华尔兹的三拍子节奏。

节奏就像是音乐作品的骨架，可以让所有的音符融为一体。舞蹈也离不开音乐的节奏。现在，我们一起来看看，在过去的几个世纪里都有哪些舞蹈吧！

让舞步穿越历史

为神明舞蹈

山洞和寺庙里的壁画告诉我们，早在几千多年前，印度、埃及和希腊的人民开始用舞蹈颂扬神明的功绩。但我们对当时的音乐和舞步知之甚少，无法详述。

在宫廷里阔步、旋转

到了 1450 年前后，欧洲皇室的贵族男女在宫廷里跳着简单端庄的慢步舞，比如帕凡舞。

一百年后，舞蹈的节奏变快了些。而且不光是舞步稍稍变快，跳跃和花式旋转这类元素也加了进来。这个时期的舞蹈有"小步舞""加沃特舞""布雷舞""沃塔舞"和"萨塔瑞舞"。这些舞蹈伴随着当时的音乐作品流传至今。

爱跳舞的国王

法国国王路易十四（1638—1715），自号"太阳王"，很爱跳舞，自己也会当众舞蹈。有一次演出时，他甚至扮演了太阳。他的宫廷作曲家让 - 巴蒂斯特·卢利一生大部分时间都在路易十四的宫廷里作曲，为他的舞蹈专门谱写合适的音乐。

踢踏、蹦跳，点燃舞台

与皇室宴会的舞蹈相比，节日庆典和大型集市的舞蹈来得更热烈、更欢腾。而且许多舞蹈都与手工艺有关，比如，演绎烧制陶器或修补铜锅的舞蹈。跳舞时，人们身穿传统服饰，脚踏耐磨的鞋子，舞蹈的场面往往十分热闹。

在过去的几十年里，这些古朴、恣意的舞步已为民俗艺术所吸收，原始的民间音乐、舞蹈与现代的旋律和肢体语言相互融合，发展成为民族舞。比如，"兰德勒舞""波尔卡""玛祖卡"以及"沙蒂希舞步"。民族舞遍布世界各地，流传至今，搭配当地的音乐和传统服饰，各具特色，精彩纷呈。

足尖上的舞蹈

古典芭蕾舞由意大利和法国的宫廷舞蹈发展而来。酷爱舞蹈的法国国王路易十四于 1661 年创办了第一所皇家舞蹈学院。随着时间的推移，专业舞蹈作品不断涌现，由专业舞者在歌剧院的舞台上演绎。

19 世纪，古典芭蕾舞在俄国经历了非常辉煌的时期。作曲家彼得·柴可夫斯基创作了《天鹅湖》《睡美人》和《胡桃夹子》等一系列经典作品。这些作品至今仍在世界各地的舞台上演。同样是在 19 世纪，芭蕾舞引入了足尖舞，需要女舞者穿上特制的足尖鞋，踮起脚尖来跳舞。

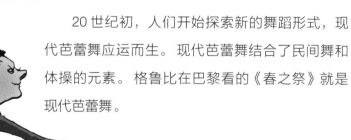

20 世纪初，人们开始探索新的舞蹈形式，现代芭蕾舞应运而生。现代芭蕾舞结合了民间舞和体操的元素。格鲁比在巴黎看的《春之祭》就是现代芭蕾舞。

从舞厅到街头

现代交谊舞诞生于欧洲和美国的大城市，一直延续至今，在舞会和婚礼上都很常见。维也纳华尔兹、阿根廷探戈、古巴曼波舞、美国狐步舞等五花八门的舞蹈，在世界各地兴起。还有些舞蹈连名字都像糖果一样甜美：比如卡力骚（Calypso）、布吉乌吉（Boogie-Woogie）、恰恰、桑巴或巴西福罗（Forró）。当然也少不了摇滚舞、贴身舞"兰巴达"（Lambada）和莎莎舞。不过，也有一些舞蹈，风靡一时，却昙花一现，只撑过了一个夏天或一首歌。

大约从 1975 年开始，人们开始跳"迪斯科"（Disco）。迪斯科的音乐节奏通常很快，最快的每分钟 120 拍。节奏更快的还有"高科技舞曲"（Techno），也叫"铁克诺"，最快的速度可达每分钟 150 拍。"高科技舞曲"的音乐通常由 DJ 本人在电脑上合成。DJ 是英文"Disc Jockey"的缩写，指在活动现场选择音乐并播放的人，有时候，DJ 还会即兴混音和创作。

"高科技舞曲"不仅是舞蹈和音乐的风格，还代表了特定的生活和着装方式。嘻哈（Hip-Hop）也是如此，20 世纪 70 年代，这种风格从纽约布朗克斯区传入欧洲。嘻哈文化还包含了一种近似杂技的舞蹈，即霹雳舞（Breakdance）。或许，你已经在街头见过这种舞蹈：年轻的舞者们用手掌、肩膀甚至头顶接触地面，跟着大声的音乐翻飞舞动，颇有难度。

邂逅大提琴手

意大利的米兰中央火车站非常大。格鲁比置身其中，觉得自己非常渺小。他心想："在这里举办音乐会一定非常棒！"但是，本只想赶快喝杯咖啡。所以，二人走进了一家咖啡馆。

咖啡馆里播放着歌曲，吧台后面的咖啡师跟着原声一起歌唱，热情洋溢。格鲁比对本说："这就是我想象中的意大利，优美的歌曲和幸福的人，不停歌唱，忘记时间。"本笑着说："就像在我们瑞士，人人都唱约德尔，个个都会做芝士？"他接着说，"意大利的通俗歌曲、民歌和歌剧浩如烟海，是意大利的瑰宝，意大利人的确都非常自豪。现在播放的这首《我的太阳》（*O sole mio*），就是闻名世界的意大利歌曲。一听到它的旋律，大家都会情不自禁地唱起来。"

这时，格鲁比突然叫道："看那里！一只巨型甲虫！！"

啊！我的太阳~

咳！哪儿有什么巨型甲虫，原来是身背大提琴的莉雅。她来自意大利，却能说一口流利的德语。她打开"甲虫"的后盖，给格鲁比展示了大提琴的所有部件。紧接着，她演奏了一串音符。她不仅用弓毛敲击琴弦，让它在琴弦上轻快地跳跃；而且用木制弓杆敲打琴身，声音也非常特别，之后，又用手指弹拨琴弦。格鲁比目瞪口呆，在莉雅的手中，一件乐器竟能变化出如此多样的声音。

最后，莉雅为格鲁比和本演奏了她正在练习的乐曲。格鲁比听得非常陶醉，说道："我快要融化在你的音乐里了，太美了，谢谢你！"莉雅说："这首曲子出自巴赫的作品《空气》（Air）。"

格鲁比惊叹："巴赫！！！现在，我更期待见到巴赫本人了！"莉雅微微一笑，不以为意。本说道："不过，在那之前，我们会先去趟斯卡拉歌剧院。你有兴趣一起去吗？"

琴头

弦轴

上弦枕

指板

面板

琴弦

琴弓

音孔
（或称f孔）

琴桥
（或称琴马）

系弦板

琴脚

拨动琴弦

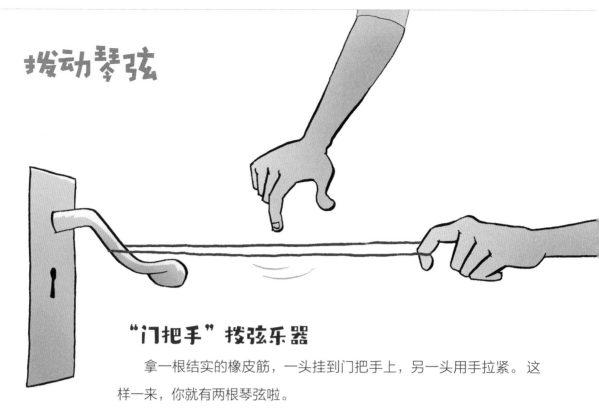

"门把手"拨弦乐器

拿一根结实的橡皮筋，一头挂到门把手上，另一头用手拉紧。这样一来，你就有两根琴弦啦。

用另一只手拨动琴弦。先拨一根，再拨另外一根，两根琴弦发出的声音一样吗？估计不一样。因为，两根琴弦的松紧程度极有可能不同。试着在一根弦上弹拨简单的旋律，想要弹出的音越高，你就得把弦拉得越紧。幸运的话，你可以弹完整首旋律，不过，也有可能你会听到"砰！"的一声，橡皮筋断了！小心别伤着自己。这个小实验好处多多：第一，它帮你了解了琴弦的振动；第二，你明白了，弦绷得越紧，变得越细，声音就会越高；第三，你还可以用这根断掉的橡皮筋做另一个小实验。

"椅子腿"拨弦乐器

断裂的橡皮筋可以再次派上用场啦！把它的两头分别绑在椅子的两条腿上，打上牢牢的结。如果橡皮筋不够长，也可以再搬一把椅子，把橡皮筋的两头分别绑到两把椅子的腿上。这样一来，两条椅子腿之间的距离就可以完全由你来掌控。但是要注意，橡皮筋必须绷紧。现在，试着拨动橡皮筋，它发出了什么样的声音？再拨动几次，记住这个声音。然后，用一个手指尽量准确地抵住这根橡皮筋的中间点，不要松手；用另一只手弹拨中间点左侧或右侧的半根橡皮筋。现在的声音和之前不一样了，对吧？声音变低了，还是变高了？没错，它的音调变高了。因为当你的手指轻轻地压住橡皮筋中间点时，你就已经人为地缩短了橡皮筋振动的长度。而振动的长度越短，音调就越高。现在，把你的手指拿开，拨动整根橡皮筋。再把手指放回原来的中间点，拨动半根橡皮筋。注意到了吗？两个声音刚好差了一个八度。不过，它们共享同一个唱名，或者说，这两个音其实都在同一架音阶电梯里，俯视的时候，它们所在的区域没变。只不过，一个音在 1 层，另一个音在 2 层。

如果你的手指不是放在这条橡皮筋的中间点，而是放在了它的三分之一处，弹出来的声音又会不一样。在你弹拨非常短的那部分时，很可能已经听不到什么声音了，毕竟橡皮筋不是真正的琴弦。不过，现在你已经明白，所有的乐音都"住"在一根弦上，只要弹拨的位置和方式不同，就可以发出不同的乐音。

整根琴弦的振动

当你拨动或擦过琴弦的时候，它就会开始振动，我们听到的这些振动就是乐音。但实际上，它是一整组乐音，由一个根音和许多泛音组成。乍一听很复杂，但是，我们可以打个简单的比方：这整组乐音都是同一栋房子里的住户，而你的弹奏就相当于按响了这栋房子的门铃。马上开门的就是根音，它的声音最大，所以你也会最先注意到它。但是其实屋子里的其他乐音也听到了门铃，也马上就出来开门了，但它们的音量要小很多，所以你很可能注意不到。而且它们的音调一个比一个高，这些就是泛音。

西洋擦弦乐器

接下来，我们会介绍西洋乐器里的擦弦乐器。擦弦乐器主要就是指提琴，包括小提琴、中提琴、大提琴和低音提琴四种。它们基本上都有四根不同粗细的琴弦，每根琴弦发出的声音各不相同。这些琴弦的弦芯通常是金属的，但也可能是肠线或塑料的材质。弦芯外部由非常细的金属线包裹。有人也许会说：最简单的儿歌通常也有五六个不同的音符，而四根琴弦怎么演奏复杂的曲子呀？其实答案很简单：只要掌握了手指按弦的技巧，把手指按在琴弦的不同位置上，就可以让琴弦发出不同的声音了。

小提琴 西洋擦弦乐器中最小的一个，声音非常高亢、清亮。

中提琴 像小提琴一样，演奏中提琴时，需要用下巴夹紧乐器。中提琴比小提琴稍微大一些，声音也稍微低沉一些。

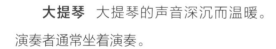

大提琴 大提琴的声音深沉而温暖。演奏者通常坐着演奏。

低音提琴 西洋擦弦乐器中最大的一种，也可能有五根琴弦，是提琴中唯一可能会有第五根弦的乐器。

琴弓 擦弦乐器都需要琴弓，只是所需的琴弓稍有不同。琴弓由木制弓杆和绷在弓杆上的弓毛这两个部分组成。弓毛通常为马尾，也可能是尼龙线。

六根琴弦的乐器

哪种弦乐器不需要琴弓，只要用手指或拨片就可以演奏？没错，是吉他。它通常有六根尼龙弦，其中一些由金属线包裹。而竖琴的琴弦更多，可以达到 47 根，也是用手指拨弦演奏的乐器。

看了这么多页有关琴弦的内容，你的手指可能也已经蠢蠢欲动。那么，自己做个简易的弹拨乐器吧！

简易拨弦乐器

取一个带有盖子的小盒子，再准备一些不同粗细的橡皮筋。先不要给盒子盖上盖子，直接在盒子上绷紧橡皮筋，然后弹拨几下。听起来很不错，对吧？

现在，把盒子的盖子盖上，再绷紧橡皮筋。在这种情况下，要想让橡皮筋发生振动，就需要在橡皮筋下面垫两支铅笔，这样就可以演奏啦！你还可以用装得半满的火柴盒代替原来的盒子，弹奏出来的声音也很特别。

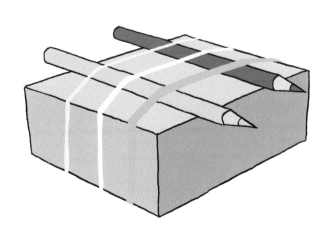

大型歌剧院与伟大的歌剧

　　斯卡拉歌剧院的名字得名于原先屹立于此的教堂。这座教堂是根据捐赠者雷吉娜·德拉·斯卡拉命名的。斯卡拉歌剧院于 1778 年开业，如今已经举世闻名。

　　为了这次歌剧院之行，莉雅、本和格鲁比都精心打扮了一番。本告诉他们："穿得漂漂亮亮地去看歌剧，或者听音乐会，是一种好习惯。而且打扮的过程也可以增加期待的喜悦。"他还故意补充了一句："要是穿着人字拖或旅游鞋就去了，走在大理石台阶上嘎嘎响，多不好！"

三人早早地来到剧院，坐到自己的座位上。但歌剧还没开始，所以，他们开始四处张望，看着剧院正厅前排、楼座和两侧的位置都慢慢坐满了人，管弦乐队的成员也陆续就位。

　　"看，那是大提琴组！"莉雅对格鲁比说。这时，管弦乐乐池里传来了特别奇怪的声音，听起来比芭蕾舞剧《春之祭》还要夸张。格鲁比非常担忧，问道："怎么这么刺耳？"莉雅笑着回答："这还没开始演奏呢。他们只是在给乐器调音。擦弦乐器的琴弦经常会松动、走音。所以小提琴、大提琴这类乐器，在正式演出之前，都必须先把音调准。"

二人交谈的时候，本认真阅读了节目单。他突然打断了两人的对话，说道："原来歌剧《图兰朵》的故事是根据中国故事改编的。"格鲁比问道："是中国人作曲吗？"本回答："不是。这是意大利作曲家贾科莫·普契尼的作品。不过，他确实从中国音乐中获得了许多灵感。顺便提一句，这部歌剧当年就是在这家剧院首演的，首演时间是 1926 年。"

这时，灯光变暗，指挥家登台，在场的所有人都开始鼓掌。格鲁比心想："指挥家还什么都没做，怎么大家就开始鼓掌了？"不过，格鲁比想，这大概是演出的惯例，也卖力地鼓起掌来。

在看剧的过程中，格鲁比觉得图兰朵公主非常残忍，整个故事情节也很吓人。不过，不能否认这是一部非常精彩的作品。全剧的故事背景虽然发生在中国，但它的音乐在格鲁比看来，并不太中国。他最喜欢的部分是童声合唱。每一次童声合唱开始的时候，他都特别开心。

中场休息时，莉雅和本开始讨论歌剧演员们的音色和管弦乐队的表现。格鲁比可不管这么多，他正忙着享受意大利的冰激凌。

不朽的威尔第！

朱塞佩·威尔第是杰出的意大利歌剧作曲家。相传，他在世的时候，比当时的教皇和国王还有名。他不但创作了伟大的作品，在政治领域也相当活跃，为意大利的统一做出了很多贡献。同时，他也关心穷人，自己出资在米兰建立了艺术家疗养中心，让生活困苦的艺术家可以在此养老。

1813 年，威尔第出生在一个普通的家庭。幸运的是，他有着极高的艺术天赋，凭借自己的歌剧创作积累了大量财富。不过，歌剧并不是他唯一的收入来源，他还在乡村购置了农场，养了很多牛，这部分的收入也不少。1901 年，威尔第逝世，享年 88 岁。

后来，格鲁比听到了咏叹调《今夜无人入睡》(Nessun Dorma)，剧院里所有的人似乎都在等待这一刻。当旋律响起的时候，人们开始在心里默默地跟唱。此刻，剧院里的所有人仿佛与旋律融为一体，实在美妙。

Air

本书前文提到了巴赫的作品《空气》(Air)。此处，"Air"一词为法语，有"空气""歌曲"或"旋律"的意思，对应的意大利语为"Aria"，其实是指"咏叹调"。"咏叹调"原指任何抒情的音乐旋律，在歌剧中多为独唱曲，通常由管弦乐队进行伴奏，但是也存在例外的情况。

　　第二天，本说，他要去买飞机票。格鲁比自己一个人在米兰闲逛，心想："是不是马上就可以去见巴赫先生了？"在米兰的街道上，他看到了一位来自摩洛哥的街头小贩，顺手挑了支漂亮的木笛，买下的时候心中窃喜："本肯定可以教我吹木笛！"

　　果然，本非常乐意教格鲁比吹笛子。他先吹了三个音符，音名分别为 c、d、e。听起来很简单。但格鲁比吹奏时，发出来的声音却很不一样。本告诉格鲁比："你手里的笛子是专门为阿拉伯音乐设计的，音阶和指法与欧洲的乐器不同，所以音色也有很大的差别。"本接着补充道："世界各地都会创造自己的音乐。而且每个地区的音乐都有自己的规则。"

为音乐而生

飞机着陆了，格鲁比兴奋地问道："我们已经到巴赫先生的城市了，对吗？"

本回答："你看看窗外，那里写了什么？"

格鲁比往机场塔台那边儿看了看，只见上面写着"奥地利萨尔茨堡机场"和"莫扎特"。格鲁比叫道："我知道这个名字！"

本笑着说："见怪不怪，这个名字连月球上的人都认识！"

没过多久，两人就到了一个广场上，四面都是宏伟而古老的建筑。在一座黄灿灿的房子上，赫然写着几个大字——"莫扎特的出生地"。本对格鲁比说："这就是我们现在要去的地方。"

"展品好丰富、好漂亮！"格鲁比兴奋地说。在莫扎特出生的这座房子里，格鲁比非常想跑遍所有房间，摸遍所有展品，再按一按所有的琴键。不过，他知道，这是不被允许的。

格鲁比观察得非常仔细，说道："这架钢琴琴键的颜色都涂错了！"本解释道："这是古钢琴，琴键的颜色本来就这样。不过，莫扎特从来没有弹过这架古钢琴。而这边的这架小键琴则是他本人弹过的。"

"这小键琴也太小了吧！"格鲁比说。本告诉格鲁比："小有小的好处，方便旅行的时候随身携带。莫扎特经常旅行哦。"

在参观的整个过程中，格鲁比的下巴就没有合上过，他感叹连连："在短短的 35 年里，莫扎特一共创作了 626 部作品！不过，我猜都是比较短小的作品！"本听了，马上纠正道："恰恰相反，在他创作的作品中，大部头的歌剧可不少。"

后来，格鲁比发现了一把非常可爱的袖珍小提琴。那是莫扎特儿童时期使用的小提琴。格鲁比特别惊讶，问道："为什么会有小提琴？我一直以为，莫扎特是弹钢琴的！"本解释道："因为他的父亲利奥波德·莫扎特是位小提琴家呀，是他亲手把小提琴的演奏技艺教给莫扎特的。"

离开博物馆的时候，格鲁比满意地说："我好喜欢莫扎特，我想更深入地了解他。"

沃尔夫冈·阿玛多伊斯·莫扎特

总在匆忙赶路的音乐家

人们常说，莫扎特是个神童，仿佛仙女一挥魔法棒，小莫扎特就拥有了超凡的演奏和作曲能力。但事实并非如此，莫扎特非凡的天赋毋庸置疑，但是他的成功离不开日复一日的练习。莫扎特的父亲是演奏家、作曲家利奥波德·莫扎特，他很早就发现了小莫扎特的音乐天赋，并给予他很多支持。这意味着小莫扎特和所有学乐器的孩子一样，从小就开始了日复一日的练习。幸运的是，他的父亲会给他和姐姐准备非常有趣的练习曲，确保他们享受学习的过程。他还会带着姐弟俩去皇家宫廷演奏。这样的演出经历对孩子们来说，自然是非常好的激励。他们也会更加刻苦地练习琴技。

在莫扎特的时代，没有录制音乐会的光碟，想听音乐会只能去现场。莫扎特为了给大家演奏音乐，几乎一直都在奔波，足迹遍布德国曼海姆、法国巴黎、意大利米兰、捷克布拉格等许多城市。即使不需要外出演奏的时候，莫扎特的生活也并不安定，经常跟着家人四处搬家。至于他在何时，如何写出这么多协奏曲、交响乐和歌剧，至今仍是个谜。或许他没日没夜、随时随地都在工作，并且同时创作、加工好几部作品。

很多人都认为，莫扎特拥有一个有趣的灵魂。也许是因为他写过一些奇奇怪怪的信，也许是因为在他的作品里常常有些好玩的歌曲，比如歌剧《魔笛》里的一些曲目。但他也有非常严肃和悲伤的一面，否则，他不可能写出用来悼念逝者的《安魂曲》(Requiem)。

琴键和音槌

三角钢琴让音符飞翔

三角钢琴很大，而且形状特别。如果你有翅膀，可以飞到三角钢琴的正上方看一看，会发现它长得像鸟儿的翅膀。

打开三角钢琴的顶盖，从侧面看过去，三角钢琴的形状也和大鸟或飞机有几分相似。打开顶盖以后，琴声可以更好地传播到上空，萦绕整个音乐厅。

只有琴键可不够

你有没有见过三角钢琴的内部？200多根金属琴弦，像是火车站里纵横错杂的轨道。有些琴弦很粗，有些琴弦非常细。三角钢琴和普通的立式钢琴都属于键盘乐器。它们的琴键只用于操作，按下一个琴键，钢琴里就会有一个小槌子跟着动起来。有多少个琴键，就有多少个小槌子。它们叫作音槌，又名弦槌、击槌，上面包裹着厚毛毡。音槌敲击琴弦，就会发出声音。为了防止琴弦自由振动的时间过长而产生杂音，在音槌开始运动时，止音器可以使琴弦停止振动。这样一来，我们就可以连续多次弹奏同一个琴键，琴声干净利落。

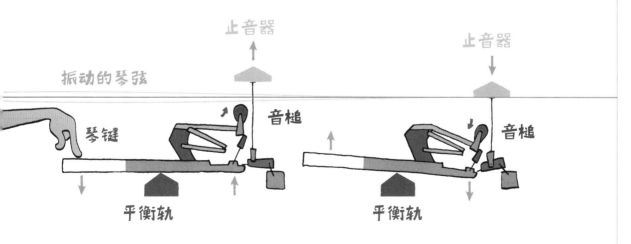

让琴声抑扬起伏

在配有音槌的钢琴问世之前，键盘乐器只有一个可以拨动琴弦的装置，能让乐器发出金属质感的声音。但是这个装置无法改变拨弦的力度，因此，琴声的响度几乎没有变化。羽管键琴就是这样一种乐器，它也叫作大键琴或拨弦键琴，至今仍有人弹奏。

莫扎特出生地的那台古钢琴配有音槌，是从羽管键琴发展而来的。但是，和技术至臻完美的现代钢琴相比，它还有很大的差距。现在的钢琴既能发出轻柔的音符，也能发出响亮的音符。

没有琴弦的键盘乐器

流行音乐或爵士乐中常会使用电子钢琴，外观和钢琴很像。不过琴声并不是由振动的琴弦产生的。电子钢琴的琴声是存储在乐器内的数据，按动琴键的时候，这些数据就会被读取出来，让电子钢琴发出声音。

那我的管风琴呢？你们猜，它有没有琴键？

嘘！巴赫先生，先别揭晓答案。我们很快就会讲到您的管风琴了！

维也纳——音乐之都

格鲁比早就知道会来维也纳，因为从奥地利萨尔茨堡出发的时候，他看了一眼指示牌，上面写着"维也纳火车西站"。不过，在维也纳圣斯蒂芬主教堂，有件意想不到的事情正在等着他。

原来，本的所有乐团同事都已聚集在教堂前，等待他们。其中一位乐手对格鲁比说："欢迎来到音乐之都！"格鲁比问："你们在这儿做什么呀？"对方回答："你觉得呢？当然是开音乐会啦！"小提琴手安德莉亚说："快讲讲，你们都去了哪儿，做了些什么。"格鲁比回答："哎哟，那可太多了，我怕一时讲不完。"安德莉亚笑着说："你也可以用唱的，像这里的街头音乐家一样！"

格鲁比想了想，说道："要么，我可以……"就在这时，本向他们喊道："你俩随后再交流吧！我们得去排练了！"

在排练场，乐手们纷纷取出自己的乐器。这时格鲁比突然想做一回乐队的指挥。乐队排练的是海顿的《G大调第九十四号交响曲》，也被称作《惊愕交响曲》，谱子上还写着"击鼓交响曲"几个大字。格鲁比想："既然是'击鼓交响曲'，那就得把定音鼓放到最前面。"作为乐队指挥，他有权决定乐队成员的位置，于是，他重新安排了乐队的座位。

调完座位的结果相当"振聋发聩"，非常"一鸣惊人"：被安排在后面的小提琴，声音几乎听不见。而定音鼓响起来的时候，格鲁比几乎要被震晕了。

好在，乐队很快就恢复了正确的座位安排。格鲁比心甘情愿地交出了指挥棒，叹息道："唉，说到底，我就不是可乐羊。"这可把本给逗乐了，他笑着说："你是想说著名的指挥家卡拉扬吧？他全名叫赫伯特·冯·卡拉扬，可不是可乐羊！"

现在，乐手们重新演奏海顿的《G大调第九十四号交响曲》。这次的效果确实好了很多。紧接着，乐队还排练了莫扎特的《第四十号交响曲》，并以贝多芬的《第五号交响曲》收尾。

约瑟夫·海顿
（Joseph Haydn）
1732—1809

沃尔夫冈·阿玛多伊斯·莫扎特
（Wolfgang Amadeus Mozart）
1756—1791

路德维希·凡·贝多芬
（Ludwig van Beethoven）
1770—1827

古典音乐三杰

　　古典既是一个时期，也是一种风格。其中，古典主义音乐与流行音乐相对。在古典主义时期（大约 1770—1830 年），人们想要摆脱浮华，寻找清晰易懂的形式和规则，并根据这样的形式和规则，去生活、思考、写作、作曲。维也纳是当时最重要的音乐城市，海顿、莫扎特和贝多芬等作曲家都曾在那里生活和工作过。

　　海顿是三人之中最年长的。他大概是个出手阔绰又风趣幽默的人。海顿非常推崇莫扎特，认为莫扎特是个天才。后来，海顿还让三人之中最年轻的贝多芬到维也纳深造，做他的学生。

一同奏响，美妙无比

所谓交响乐，可以理解为乐器一起响起，所有声音相互交织。交响乐团里有80多种乐器，为了让它们的声音和谐、动听，演奏者座位的安排也非常讲究：打击乐排在最后面。打击乐的前面是管乐：木管乐器在左，铜管乐器在右。擦弦乐器的声音最小，所以，演奏擦弦乐器的乐手坐在最前面，人数也最多。但低音提琴的位置远远地排在小提琴、中提琴和大提琴的后面。

挥动指挥棒

乐团的指挥用指挥棒来引领音乐。乐团里每个乐手的面前，都有一本自己乐器的乐谱。

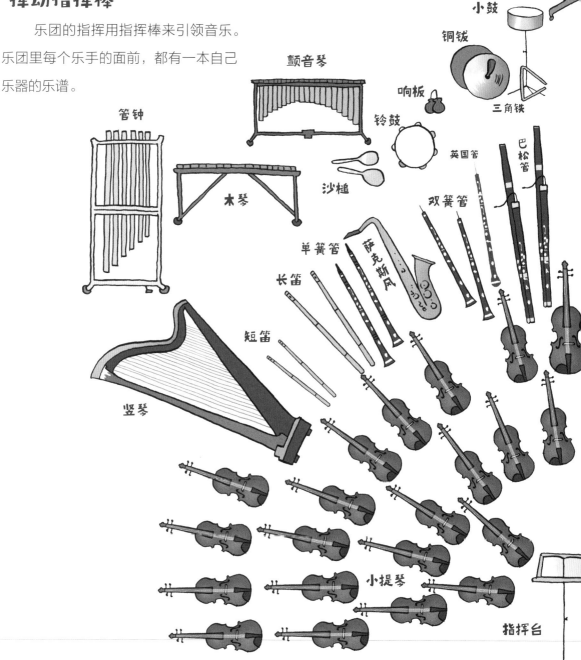

大鼓

小鼓

铜钹

三角铁

响板

铃鼓

英国管

巴松管

双簧管

颤音琴

沙槌

管钟

木琴

单簧管

萨克斯风

长笛

短笛

竖琴

小提琴

指挥台

在很大程度上，乐团的指挥决定着一首乐曲的音色、节奏和情绪。所以同一部交响曲到了不同乐团、不同指挥的手里，听起来可能会截然不同。

不插电

无论是交响乐团、室内乐团，还是歌剧院的管弦乐团，他们在演奏的过程中，都不需要话筒或扩音器，所以也不需要电源。换句时髦的话说，他们的表演都是"不插电"的。不过，要想达到完美的效果，演出必须在专门的空间内进行，比如歌剧院、音乐厅，或者一些有着类似构造的教堂。

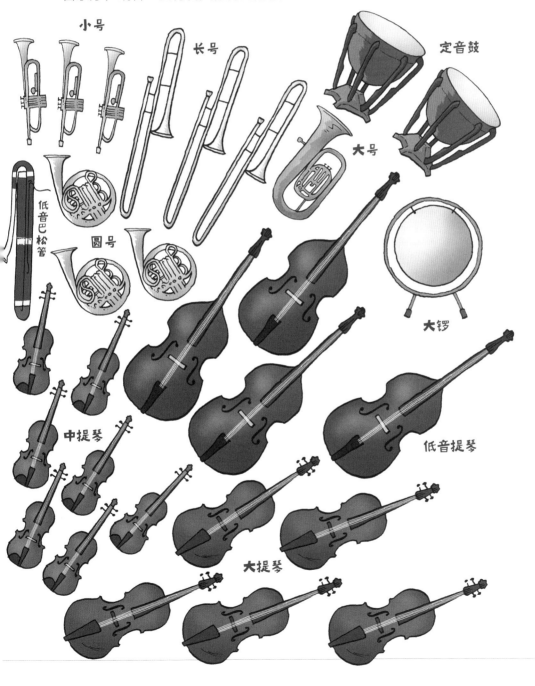

小号

长号

定音鼓

大号

低音巴松管

圆号

大锣

中提琴

低音提琴

大提琴

看看是谁在奏乐？

阅读下列五组描述，并将文字前的数字与图片前的字母配对。 答案藏在第 55 页。

1. 四位音乐家演奏擦弦乐器，一共有 2 把小提琴、1 把中提琴、1 把大提琴，他们演奏的是海顿、莫扎特或勃拉姆斯等作曲家的室内乐。

2. 他们的演奏和演唱非常大声，音乐非常热烈。电吉他和打击乐器通常必不可少。好的主唱同样不可或缺。

3. 一般只有在狂欢节上才能见到这样穿得花花绿绿的乐团。"不鸣则已，一鸣惊人"，这些乐团的音量可不小，但他们并不一定是专业的乐手，所以跑调是常有的事。

4. 这位音乐家不仅会挑选舞曲，还会非常娴熟地混合多种舞曲，产生全新的音乐，让大家可以尽情地跳舞。

5. 这群音乐家穿着传统服饰，唱着家乡的歌曲，而且常常不需要乐器伴奏。

A. 狂欢节乐队

B. DJ "格鲁比伯"

C. 约德尔合唱团

D. 摇滚乐队

E. 弦乐四重奏

伟大的榜样

维也纳的音乐会很成功。听众掌声不断，强烈要求乐团返场。于是，乐团为大家加演了舒伯特的《鳟鱼五重奏》。到了第二天，大家的心情依旧很好。

在去莱比锡的路上，他们还在热烈交谈着前一晚的音乐会。毕竟维也纳的听众见多识广，能获得他们的认可并不是件易事。但格鲁比无心留意这些，他兴奋不已，因为马上就可以见到巴赫先生了！

当他们到达莱比锡的时候，其他人都想先去酒店休息。格鲁比无法理解："休息？洗澡？能不能不要现在洗？！"安德莉亚心软了，她同意带格鲁比去圣托马斯教堂。

格鲁比和安德莉亚的运气很好。在圣托马斯教堂，一位管风琴师正在弹奏巨大的教堂管风琴，他在排练巴赫的"康塔塔"（cantata），"康塔塔"也叫"清唱套曲"，或"巴赫颂赞曲"。安德莉亚突发奇想：她给格鲁比戴上一顶厚厚的帽子和头戴式耳机。这样一来，格鲁比几乎听不到任何声音了。但是，他仍然感觉到音乐流遍了全身，在皮肤上，在肚子里，甚至渗入了骨髓里！他摘掉了耳机和帽子，终于听到了音乐。乐曲庄严肃穆，气势恢宏，非常适合这个教堂的氛围。仔细聆听以后，格鲁比突然明白这是来自另一个时代的音乐，而弹奏管风琴的也不可能是巴赫先生本人！

格鲁比来到这位伟大音乐家的纪念碑前，恭恭敬敬地站好。非常有礼貌地问道："您不再亲自弹奏管风琴了，对吗？"

巴赫回答道："这台管风琴也不再是当年那台了。早在1750年，上帝就已经召唤我去他身边了。"格鲁比说道："可是，当人们谈起您的时候，都像刚和您吃过午饭似的。"

"是啊，他们常常听我的音乐，所以对我非常熟悉。在我还活着的时候，人们每周日都想在教堂里听我新写的乐曲。所以我创作了非常非常多的清唱套曲。此外，我还担任了圣托马斯少年合唱团的指挥，一当就是27年。这个德国童声合唱团有800多年的历史呢！"

这时，安德莉亚走了过来，打断了他俩的谈话："格鲁比！船上还有一个空位！"格鲁比很奇怪，问道："什么船？"安德莉亚兴奋地回答："我们乐团后天就要去美国了，你也可以一起去！"格鲁比结结巴巴地说道："美……美……美国？！"安德里亚笑着说："没错，在那里，你可以了解到爵士乐的发展历史。而且爵士乐也受到了巴赫音乐的影响哦！"格鲁比太开心了，说道："太棒了！每天都有新惊喜！"

乐器中的女王

和钢琴一样，管风琴也是一种键盘乐器。它有一个或多个键盘，以及一系列可以改变音色的音栓。鼓动管风琴的风箱，可以使空气进入不同大小的音管，从而使管风琴发出声音。如今，这个鼓风的步骤由电动鼓风机完成；而在过去，需要专人用手掌或脚掌鼓动风箱，最多的时候需要 12 个人。

管风琴的音色特别多样，其他乐器都望尘莫及。它可以模仿各种弦乐器和管乐器，甚至还可以模仿人声。一个乐器就是整个乐团，是当之无愧的"乐器女王"。

通常只有在教堂和音乐厅才能见到大型管风琴。这种乐器占地面积大，建造非常复杂，造价也特别高。

巴洛克音乐最重要的作曲家

约翰·塞巴斯蒂安·巴赫生于1685年，与格奥尔格·弗里德里希·亨德尔同年。亨德尔到处巡演，靠音乐变得非常富有。而巴赫却几乎没有走出过德国。虽然他赚的钱也不少，但毕竟他要养活一大家子人。

在巴洛克时代（大约1600—1750年），人们的生活在很大程度上受两种势力的统治：第一种势力是世俗的统治者，如国王、诸侯；而另一种势力则是教会和对上帝的信仰。巴洛克音乐以精致而严谨的形式表达出当时人们的情感。

巴赫生活在巴洛克时代的末期。人们一致认为，他把巴洛克音乐的艺术性发挥到了极致。1750年，巴赫去世。在这之后，其他音乐流派的影响力大大增加，巴赫的音乐却被忽视。

到了1829年，也就是巴赫逝世大约80年后，德国作曲家费利克斯·门德尔松改编并指挥了巴赫的《马太受难曲》，巴赫的音乐价值才重新获得乐坛的重视。直到今天，巴赫的音乐依然受到乐坛的青睐，许多人认为巴赫是最伟大的作曲家，没有之一。他的作品不仅启发了古典主义音乐，还影响着流行音乐和爵士乐。

玛利亚·安娜·莫扎特（Maria Anna Mozart），
昵称"南妮儿（Nannerl）"

女性作曲家呢？

格鲁比注意到，到目前为止，他只听说了男性作曲家。他问安德莉亚："没有女作曲家吗？"安德莉亚回答："在各个领域，有才华的女性和男性一样多。但是才华需要进一步的培养，需要资金的支持。在过去，妇女不准上大学，不能从事任何一种职业，必须在家里照料家人。不过，有音乐天赋的女孩儿也有机会得到指点，比如莫扎特的姐姐'南妮儿'。还有一些女性，也成为著名的钢琴家或作曲家，比如克拉拉·舒曼和范妮·亨塞尔-门德尔松。不过，在当时，女人的事业往往都会在婚后终结。幸运的是，这种情况现在已经有所改变。在音乐的各个领域，如今都活跃着非常多的优秀的女性音乐家。"

范妮·亨塞尔-门德尔松
（Fanny Hensel-Mendelssohn）

克拉拉·舒曼（Clara Schumann）

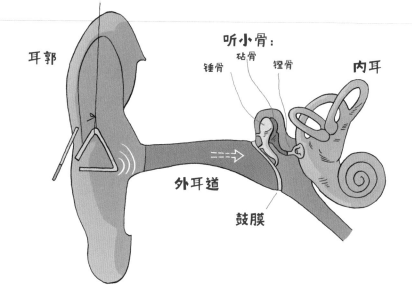

用身体感受音乐

我们能听见声音，是因为空气在振动，而空气的振动就会产生声波，传入我们的耳朵里。耳朵再把声波传递给大脑，我们才算真正地听见声音。如今，我们可以把声波录下来。而不同声音的声波，形状也各不相同。

被风吹落的树叶，掉落在沥青路面上，发出一声安静的、干脆的"嗒"。

把这个声音录制下来，它的声波看起来大概是这样的：

吹过屋子的风把门也吹上了，我们听到了"嘭！"的一声巨响。

这个声音的波纹看起来也更夸张一些：

当你用弓擦过小提琴的琴弦，周围的空气会发生均匀的振动。产生的声波看起来是这样的：

我们也可以用身体感受这些声波，就像戴上了耳机和帽子的格鲁比一样。我们的皮肤、内脏，甚至骨骼都可以和声音一起振动，感受音乐。

双手、双脚和后背

如果你家里有钢琴，在家人弹奏的时候，把你的手放到钢琴的琴身上。你能感觉到琴身的振动吗？小提琴、大提琴，乃至所有乐器，都和钢琴一样，会在演奏的时候产生振动。只不过，触碰钢琴之外的其他乐器，可能会打扰到演奏的人，所以最好不要这样做。

就算身边没有乐器，你也一样可以用身体感受音乐。你可以触摸正在播放音乐的收音机，也可以摸一摸家里的音响。音乐的振动可能会给你的手掌带来一种麻麻的感觉。

在露天音乐会的时候，你一定见过摆在舞台旁边的巨大音箱。它产生的声波，可以让你的肚子甚至裤腿也跟着振动。但是，要小心，过大的音量会对听力有害。离音箱太近，或者在太大声的地方待太久，你的听力可能会受到损害。

不仅双手可以感受音乐，双脚也可以。脱掉鞋袜试试吧！如果你的感觉不太明显，也不要失望。那是因为我们脚部的触觉没有得到足够多的锻炼。如果双脚触觉的使用频率和双眼视觉一样高，我们的双脚一定能感受到更多。

背部按摩

两个人背对背地坐在地板上。一个人唱歌或者说话，另一个人认真去听、去感受。可以感觉到振动吗？背部有没有麻麻的感觉？你是否获得了一种奇妙的感觉，就像被按摩一样舒服？轮流多试几次吧！

贝多芬的木棍

德国作曲家路德维希·凡·贝多芬的听力不好。为了更好地感受音乐、更好地创作，他会用牙齿咬住一段木棍的一头，并让它的另一头接触钢琴。这时，音乐的振动会通过木棍传导到牙齿和颌骨，贝多芬就可以更好地感受音乐了。

失聪的音乐明星

1965 年，依芙琳·葛兰妮出生在苏格兰。从 12 岁起，她就几乎什么都听不见，但这并不妨碍她在英国伦敦的皇家音乐学院学习钢琴和打击乐。现在，她成了一位世界知名的音乐家。她可以通过乐器产生的振动来感知音乐。为了更好地感受音乐，这位艺术家总是赤脚表演。依芙琳·葛兰妮拥有 1800 多件打击乐器。她说："每只鼓都有着不同的个性。"

一些打击乐器

定音鼓 一般在交响乐团里，有好几台这样的定音鼓。每台定音鼓都需要事先调音，从而具备不同的音高。

铜钹 一对金属材质的薄圆盘，圆盘中间隆起处有环状手带。两片圆盘相互敲击，从而发声。

筒鼓 圆筒状鼓身的一面蒙有一张绷紧的鼓皮。通常古典交响乐团使用的鼓皮是真皮。而在其他情况下，也可能是塑料的。筒鼓可以用手或鼓槌敲击出声，演绎不同的音乐类型。

架子鼓 多种打击乐器的组合，其中主要组成部分是筒鼓和铜钹。架子鼓是爵士乐和流行音乐中常用的节奏乐器。

木琴 它由长短不同、有序排列的木制条状琴键组成。需用特制的琴槌敲击发声。

轮鼓 轮鼓的鼓皮蒙在轮框上。较大的轮鼓可以直接用踏板调整鼓皮的绷紧程度，从而改变轮鼓的音高。

同属打击乐器的还有锣、三角铁和沙槌。

周游世界的旋律

　　格鲁比和伙伴们在汉堡登上了地中海邮轮"音乐号"。这艘邮轮会经过苏格兰、爱尔兰和格陵兰岛，到达加拿大，从那里开往美国纽约。在航行过程中，管弦乐团会为邮轮上的乘客演奏音乐。格鲁比太开心了，接下来的 17 天可以什么都不用做，只须尽情倾听音乐。

　　在过去的几个世纪里，数以百万的人跨越大西洋，前往北美洲或南美洲。其中，一部分人希望逃离饥饿、战争和迫害，过上更好的生活；而另一部分人大多来自非洲，被暴力劫持，卖到美洲做了奴隶。这两类人都为美洲大陆带去了他们的语言、文化，还有音乐。

　　邮轮上的乐团指挥选择了一些融合欧洲、俄罗斯、非洲与美洲元素的音乐作品，让人对这次邮轮之旅的目的地又多了几分期待。

新世界与旧世界

捷克作曲家安东·德沃夏克（Antonín Dvořák）（1841—1904） 曾在美国纽约音乐学院教学并担任校长。他创作的乐曲融合了非洲裔美国人、美洲原住民印第安人和欧洲斯洛伐克人的旋律。其中一部交响曲是《来自新大陆》（*From the New World*），又译为《来自新世界》。

乔治·格什温（George Gershwin）（1898—1937）是俄罗斯犹太移民的孩子。犹太人的单簧管乐和拉格泰姆流派的风格都给他带来了灵感。他的歌剧《波吉与贝丝》（*Porgy and Bess*）是美国历史上的第一部歌剧，享誉世界。

美国人斯科特·乔普林（Scott Joplin）（1868—1917）是黑奴的儿子。他融合了非洲裔美国人的民族音乐和浪漫的欧洲钢琴旋律，创造了拉格泰姆（Ragtime）流派的作品。后来的爵士乐就是从这里发展而来的。

库尔特·魏尔（Kurt Weill）（1900—1950）作曲家，是歌剧的创新者。他在创作早期受到美国爵士乐的影响。最著名的作品《三分钱的歌剧》（*The Three penny Opera*）是他于1928年在德国创作的。后来，他为了躲避纳粹德国对犹太人的迫害，逃到了美国。

　　邮轮上的音乐很美妙。有时格鲁比闭上眼睛，听着音乐，仿佛可以看到辽阔的草原和头顶漫无边际的天空。而当乐团演奏其他作品的时候，他又仿佛进入了拥挤、黑暗的爵士乐俱乐部。

　　"他们演奏的音乐有时充满渴望，有时奔放而欢腾。但绝对不同于巴赫和莫扎特的音乐。"这是格鲁比的想法。能够认识到这些差异，他挺自豪的。

　　格鲁比可以在甲板上站好几个小时，享受海风吹拂脸颊的感觉。他希望有一天能够看到鲸鱼。

　　突然有一天，一个人影在晨雾里出现了，一把将格鲁比从幻想拉回了现实。他兴奋地喊道："快看！是美国的自由旅……呃……自由女神像！！！"

　　没错，他们已经到达纽约了！

音乐大熔炉

几百年来，世界各地的人们不断移民到纽约。他们的文化和音乐相互影响，孕育出很多新的音乐风格和流派。

格鲁比心想："想知道最近流行什么，就得看看报纸。"谁曾想，报刊的品种太多了，他带回足足有两公斤……他试图从剧院和音乐会节目单、音乐活动指南、各种宣传单中找到一点儿头绪，最后却只能叹息一声："太难了！"整个世界的音乐都聚集在这个"大苹果（Big Apple）"里，仿佛参加一场超盛大的狂欢。

难怪纽约会被称作"大苹果（Big Apple）"，这里住着800多万人。格鲁比心想："应该叫'水果沙拉'，明明更能体现多元文化。"

　　在这座神奇的城市，他一次又一次地与"老熟人"相遇。比如，在纽约林肯表演艺术中心，他参加了一场巴洛克音乐会，音乐会上演奏的正是巴赫的音乐和威尔第的歌剧。在卡内基音乐厅，一位女歌手演唱了艾迪特·皮雅芙的歌曲。格鲁比惊叹不已："唱的都是名曲！"本对格鲁比说："因为都是超有名的音乐，所以在世界各国都能听到人们的翻唱。不过，纽约也有很多属于自己的音乐。"他建议格鲁比跟着导游，进行一次音乐观光旅行。最终格鲁比决定去纽约曼哈顿南部的一个大型居住区——"格林尼治村"。他把导览信息都下载到本的手机上，手机就是格鲁比的导游。

　　当格鲁比路过一家小酒馆的时候，听到里面正在播放美国南部的迪克西兰爵士乐（Dixieland）。这种爵士乐风格是由白人音乐家创立的，深受黑人爵士乐队的启发。相传，查理·帕克（1920—1955）几十年前就是在这家酒馆演出的。这位伟大的萨克斯演奏家不断探索爵士乐的全新可能，带来了旋律更复杂、节奏更快速的爵士乐。

　　走着走着，格鲁比来到了一个凯旋门前，他想："我又到巴黎了吗？"耳机里传出了"手机导游"的声音："这里是'华盛顿广场'，是一个公园。鲍勃·迪伦曾在这儿和朋友聚会。周末的时候，可以在这里听到好几十个乐队的演出。"

　　最后，格鲁比根据"手机导游"信息来到了一家咖啡馆。20 世纪 60 年代，很多摇滚巨星都曾在这里演出，里面就有鲍勃·迪伦和吉米·亨德里克斯。

不可思议的鲍勃·迪伦

鲍勃·迪伦（Bob Dylan）本名罗伯特·齐默曼（Robert Zimmerman），1941 年生于美国明尼苏达州的一个俄罗斯犹太移民家庭。他小时候最大的梦想就是成为一名歌手和吉他手。后来，他真的成了一名音乐家，同时也兼有作曲家、作家、诗人和画家的多重身份。鲍勃·迪伦最有名的代表曲目是《答案在风中飘逝》（*Blowin' in the Wind*）。1963 年，他凭借这首反战歌曲，一举成名。他的音乐风格变化多样，总能超出听众的预料。除了无数风格各异的音乐专辑之外，鲍勃·迪伦还出版了好几本书，并于 2016 年 10 月 13 日，获得诺贝尔文学奖！他还出演了几部电影，同时他也是一名成功的画家。

从 1988 年起，鲍勃·迪伦开始举办"永无止境的巡演"，每年都会在世界各地举办约 100 场演唱会。

格鲁比在百老汇与本汇合，本对格鲁比说："你知道吗，百老汇（Broadway）的意思是'宽宽的街'。"格鲁比回答："没错！我在地图上注意到了。"本补充道："这条路是美国原住民印第安人从荒野中开辟出来的。"格鲁比问道："印第安人也有音乐吗？"本回答道："当然，地球上的所有民族都有自己的音乐。过去，原始部落的音乐不受重视，所幸一些人开始记录原住民音乐，并把它们录音。"

他们边说边走，来到了卡内基音乐厅前，本又滔滔不绝地介绍起来："1938 年，就是在这家音乐厅，白人音乐家第一次演奏了爵士乐。通俗音乐第一次进入了高雅的音乐厅，这在当时非常轰动。如今，严肃音乐和通俗音乐没有了高低贵贱之分，都可以在这里上演。"

参观完卡内基音乐厅后，本和格鲁比动身出发去美国南部的新奥尔良市，那里是爵士乐的发源地。

铜管乐和老派爵士乐

在新奥尔良旅行的过程中，格鲁比走进了一个街区，这里曾经是法国移民的聚居区。这个街区的老房子富丽堂皇，格鲁比看得眼花缭乱。这时，一个吹奏着铜管乐的"行进乐队"转过街角，向格鲁比走来。格鲁比激动地说道："听到这种音乐，瞬间心情大好。有点儿像瑞士村庄过节时的音乐！"本补充道："还有很多爵士乐的元素！"

铜管乐器

大多数铜管乐器都需要用嘴吹奏。同时，需要用手指压放按键，或者改变嘴唇振动的频率，从而改变音高。

苏萨号 又称扛号。由约翰·菲利普·苏萨先生发明，因此得名，常用于进行曲。

圆号 又称法国号。圆号有单排圆号和双排圆号之分。双排圆号可以在演奏时灵活切换音管、转换调式。

大号 大号的声音很温暖。虽然大号的尺寸很大，但是仍然可以吹奏出非常轻柔的音乐。另外，大号有不同的尺寸可供选择。

小号 小号也有不同的尺寸。最小的音调最高，叫"高音小号"。

长号 需要通过推拉滑管，来改变音高。实际上，在交响乐团中，只有次中音长号还在使用。

| 苏萨号 | 圆号 | 大号 | 小号 |

格鲁比当天晚上的行程，是去听一场爵士音乐会。在本的帮助下，格鲁比第一次真正理解了即兴演奏：自由的演奏也要遵守一定的规则，目的是让自己的旋律融入其他人的音乐里。

中场休息之后，他们还听了一首非常独特的乐曲：《新奥尔良的葬礼》(*New Orleans Function*)。最著名的爵士乐手——路易斯·阿姆斯特朗也曾经演奏过这个乐曲。这部作品讲述的是一个葬礼的故事。乐曲一开始，一切都沉浸在浓浓的悲伤之中，但渐渐地，乐曲带回了生的喜悦，快乐的旋律重新在空气中飞扬。

格鲁比也感受到了快乐，但他也有些感伤，因为他们的旅程快要结束了。

爵士乐大师

1901 年，路易斯·阿姆斯特朗出生在爵士乐的摇篮——美国的新奥尔良市。他在贫穷的环境中长大。12 岁时，他被送到一个青少年教养院。他在那里学习短号。短号是一种铜管乐器，形状与小号相似。从 17 岁开始，直到 1971 年去世，路易斯·阿姆斯特朗一直在各个乐队里吹小号。在他职业生涯的初期，乐队成员通常会即兴合奏。但阿姆斯特朗在表演中加入独奏，开创了爵士乐明星独奏的先河。同时，他也是一位伟大的爵士歌唱家，曾与传奇女歌手埃拉·菲茨杰拉德表演二重唱。路易斯·阿姆斯特朗无疑是爵士乐的世界明星。即使是那些从未听过他作品的人，也一定熟悉这个拿着小号、鼓着圆眼睛的黑人音乐家形象。直到今天，他的音乐依然影响着爵士乐的小号手们。

长号

结束了新奥尔良的旅程后，格鲁比和乐团的一些成员前往好莱坞。他们走进了一家大型电影公司的拍摄场地，恍惚间，格鲁比觉得自己就是电影明星。他们跟着导游，穿过看似真实的背景村庄和梦幻般的风景——这是一个完全虚构的世界，却无比迷人。

录制中

格鲁比觉得这里的声音工作室最有趣。在这里，工作室会把人声、各种音效和音乐混合在一起，制作成我们在电影院里听到的电影原声。

格鲁比和伙伴们有一次体验的机会，可以感受一下混音的乐趣。他们的任务是模仿机器人发疯时的怒吼和尖叫，以及它身体发出的"咔咔"声。所有人都特别卖力，把道具砸得"咣咣"响，大呼小叫，声嘶力竭。在那之后，每个人还可以对着话筒，录制一段语音。格鲁比马上就想到了自己要说什么："大家好！我是格鲁比。我来自瑞士，想要成为一名歌手，参加电视上的音乐节目！"

"台上一分钟，台下十年功。"如果格鲁比真的下定了决心，回家以后就得勤奋地练习唱歌啦。

用传统的纸笔记录音乐

怎样才可以把音乐记录下来，并且让人看着就可以歌唱和演奏呢？几千年来，这个问题一直困扰着大家。大约在一千年前，意大利阿雷佐的修道士圭多·莫纳科大力革新了欧洲几千年以来的音乐记谱法，创造了我们今天熟悉的五线谱。在印刷术发明之前，人们一直都在用手书写、誊抄乐谱。而如今，各种专业的计算机程序就可以完成这项任务。

如果你能读懂五线谱，就掌握了一种全世界都能通用的音乐语言，还不赶快学一学！

这个符号代表什么？

你听过《两只老虎》吗？看看第一个音符：这是一个 c。你能在这页最下方的音阶上找到它吗？仔细对比这些音符，并演奏整首歌曲。你不一定需要钢琴，你也可以用纸画出一架钢琴，再用自己的声音把这首曲子唱出来。

 左边的这个符号是高音谱号，也叫 G 调号。高音谱号用于标记谱号后面的音符的音高范围。常用的谱号，还有低音谱号，也叫 F 调号。有了它，就不用在离五线谱下边线特别远的地方画低音音符了。

 这个符号表明，这首曲子的一个小节共有四拍。无特殊情况，第一拍是重拍。

1 个全音符，2 个半音符，4 个四分音符。各小节之间用一条垂直的细线隔开，这条细线叫作"小节线"。

a'　　　h'　　　c''　　　d''　　　e''　　　f''　　　g''

用现代的手段记录音乐

如今，随时随地都可以听音乐。但在过去，想听音乐，必须自己演奏，或者听别人演奏。直到 19 世纪末，人们才找到了录制音乐和人声的办法：先用一只大喇叭捕捉声音产生的空气振动，同时通过一根金属针把振动刻录到旋转的唱片上。唱片上的音乐同样需要金属针进行读取并播放：唱片的刻槽带动金属针振动，金属针同时把声音的振动传递给大喇叭。刻在唱片上的歌曲就会从喇叭里流淌出来，夹杂着朦朦胧胧的"沙沙"声——早期唱片都有这样的噪声。最早的唱片机并不是电动的，就像早期的钟表一样，需要上发条。给唱片机上好发条、放上唱片，唱片旋转的时长正好放完一首歌，也只够放完一首歌。

后来，一种新的录音方法诞生了，这种方法把声音记录在钢琴线上。再后来，发明家用一种又窄又薄的塑料带取代了钢琴线，这就是磁带。磁带用的次数多了会断裂，就听不了了。继磁带之后，又出现了 CD 光盘，声音的录制变得更加便捷。这些光盘虽然很轻、很薄，却可以存储更多的音乐。如今，音乐和声音还可以直接数字化，存储到电脑、手机和音乐播放器的内存芯片上。

声音猜猜猜

带上手机或其他录音设备，去收集 10 种声音，家里的、室外的都行。可以是自行车刹车的"吱吱"声，可以是电脑启动时的"嗡嗡"声，也可以是小朋友"咿咿呀呀"的说话声。还可以是一首自创的歌曲、某个电视节目的片头曲……

保存自己录制的这些声音，并把它们播放给家人听。他们可以猜对多少？"嘎吱嘎吱"的声音其实是开门声，他们猜对了吗？"汪汪"的叫声是邻居家的小狗发出来的，"叽叽喳喳"的歌声来自花园里的小鸟，他们有没有猜对呢？

格鲁比的首演

　　格鲁比也渴望成为一名歌手，他真的很想登台表演，因此，他和朋友们开始全力准备演唱会。格鲁比开始为自己的首演练习声乐，日程安排得很满。

　　马里奥是格鲁比的声乐老师。在第一节课上，格鲁比决心给老师展示一下自己的好嗓子，于是，铆足了劲大声地唱。马里奥立刻制止道："好了，好了，用平时说话的音量就够了！"马里奥非常熟悉唱歌的要领，他教给格鲁比各种练习方法。格鲁比大开眼界：原来，要想学好唱歌，气息、吐字和站姿都有讲究，还必须了解放松身体和嗓子的方法。

　　马里奥给他提供了很多宝贵的建议，告诉他如何润嗓，怎么减轻上台时的紧张感。

　　妮娜是一名服装设计师，负责为格鲁比的舞台和视频设计服装。在她的工作室里，格鲁比发现了一件亮闪闪的外套，特别喜欢。他上台的时候，会不会也穿这样闪闪发光的衣服呢？

妮娜告诉格鲁比："这是晚礼服。上面亮闪闪的东西叫作亮片。迈克尔·杰克逊演出的手套也镶了一些亮片。"格鲁比担心自己撑不起和迈克尔·杰克逊一样的衣服，妮娜说："别担心，我会专门给你设计特别的服装！"

流行乐之王

迈克尔·杰克逊（1958—2009）是美国流行音乐歌手、舞蹈家和作曲家，被称为"流行乐之王"。他家一共有10个孩子，他排行第八。7岁时，他就与四个兄弟一起组建了"杰克逊五人组"。13岁时，他离开组合，开启了个人演艺生涯。他的唱片销量打破了音乐史上的所有纪录。迈克尔·杰克逊曾在世界各国多次巡演，并拍摄了多部电影和无数的短片。同时，他还是一位出色的舞者，总是身着华丽的亮闪闪的演出服，吸人眼球。对于他的数百万粉丝来说，迈克尔·杰克逊就是有史以来最伟大的音乐家。

格鲁比打算用歌声的方式讲述自己的音乐之旅，他和本一起给这首歌作词。作完词后，本将会为这首歌谱写旋律。本说："这首歌的副歌一定要简单、有趣，这很关键。所谓副歌，就是主歌之后反复出现的那几句歌词。如果一首歌的副歌可以打动听众、容易跟唱，这首歌成为热门单曲的机会就很大。"

演出前的放松练习

为了准备演出，格鲁比开始做各种各样的练习，效果很不错。就算你明天不上台表演，也可以试试他做的这些练习哦！

放松，放松

想象自己站在一棵挂满樱桃的大树前，想要摘很多很多的樱桃。

——*伸出手，去够一够树上的樱桃，可以伸到多高就伸多高。*

哎呀，树上的叶子湿透了，全是雨水。

——*甩一甩，甩掉头发、毛衣、裤腿和运动鞋上的雨滴。*

在你采摘的时候，有些樱桃掉到了地上。

——*蹲下来，把地上的樱桃一个一个地捡起来。*

当你再次站起身时，身体是不是比"摘樱桃"之前放松了很多。现在，试着感受脚下的地面。

大风吹，小风吹

给人加油打气的时候，网上流行说"冲！冲！冲！"真正说出口的时候，会不会有唾沫星子飞出来呢？你也试一试！

——*把一只手掌放在眼前，用嘴对着手掌连吹三次，发出"冲！冲！冲！"的声母，干净有力。*

哎呀，你嘴里吐出来的竟然是火，你的手掌都快要被烤熟了！

——*现在，噘起你的嘴唇，小心地往你的手掌上吹风，吹出凉凉的风。*

让风变成歌声

唱歌时，要尽量把肺部出来的空气变成声音。

——*试着通过鼻子深吸几口气，再用嘴慢慢地把气吐出来。*

接着，站到玻璃窗前，或者拿一面镜子放到眼前。

——*吸气，等到再次呼气的时候，试着唱出来，随便唱一个音。*

如果玻璃窗或者镜子上没有起雾，就说明做到位了。

练练舌头

唱歌的时候，吐字要清晰，要让大家都能听懂你唱的歌词。做做舌头操，对吐字发音有好处。

——首先，张开嘴，伸几次舌头，尽量伸直、伸长，让它变得尖尖的。

——接着，闭上嘴，让舌头在你的嘴里打转，就像在嘴里的每一个角落里寻找甜点。先从左往右转一圈，再从右往左转一圈。重复五次。

——放松嘴唇，模仿马打鼾的声音，嘟起嘴唇，吹气，让嘴唇打战。

现在你准备好挑战几段绕口令了吗？试着连说三遍：

嘴说腿，腿说嘴，光动嘴不动腿，

光动腿不动嘴，不如不长腿和嘴。

接下来这句更难，你试试看？

山上五株树，架上五壶醋，林中五只鹿，柜中五条裤，

伐了山上树，取下架上醋，捉住林中鹿，拿出柜中裤。

润嗓

有时，尤其是在冬天，我们的嗓音会有些干哑。下面这段"咒语"可以缓解这个问题。低声地说：

啦啦啦嗒嗒，嘞嘞嘞得得，

尼尼呖呖滴，咯咯咯哦哦，

噜噜噜嘟嘟

另外，记得多喝水或苹果汁哦。

歌唱前绝对不能吃的东西

唱歌前，别吃坚果、花生、面包或薯片！咀嚼这些食品后，会有小碎粒、小碎屑卡在牙齿缝里。吸气的时候，它们很可能会进入气管，引起咳嗽，影响演唱的效果。一般来说，演出前的一个小时内，都不应该吃东西，这样唱起歌来也会轻松一些。

怯场怎么办?

　　歌已经写好了,格鲁比也把歌词背会了。经过好多次一对一地辅导,声乐老师马里奥对格鲁比也非常满意。但是,管弦乐队加进来以后,新的挑战又出现了:整首歌的第一个字,格鲁比不是唱得太早,就是进得太晚。除此之外,他在舞台上,要么一动不动,要么特别僵硬。幸运的是,乐队对他非常有耐心。

　　这时,格鲁比看到了演出的海报,惊呼:"我的天哪!只剩五天就要开演唱会了!"他变得有些紧张,胃里有种翻江倒海的感觉,特别奇怪。

格鲁比 带你 环游 音乐 世界

配乐:瑞士知名管弦乐团

演出这天到了，格鲁比焦虑不已。

"本，我不能演出了。胃好疼，特难受！"

"多喝茶，最好加点蜂蜜。去湖边或森林里走走，呼吸呼吸新鲜空气。多做深呼吸。把注意力集中在你练习过的内容上。你是最棒的！演唱会上，撒开了唱！"

"冲！冲！冲！"妮娜也给格鲁比加油，祝他好运。过了 15 分钟，该上台了，格鲁比的胃痛也已经消失，但他仍然有一点儿紧张。他感觉嘴巴有点儿干，于是喝了点儿苹果汁，这是声乐老师马里奥的建议。

演出非常成功！格鲁比出色地完成了演唱。他松了一口气，深深地鞠了一躬。台下掌声雷动，格鲁比特别开心。不过，这些掌声也是献给管弦乐团的，是乐手们精彩的演奏陪伴格鲁比完成了整场演出。

演唱会结束后，格鲁比看到台下有人在等他。原来是莉雅！她专门从意大利赶过来，参加格鲁比的演唱会，还给他带来了米兰独有的甜点。格鲁比高兴得合不拢嘴。

后来，大家一起去饭馆聚了一餐，庆祝演唱会圆满成功。

音乐万岁！

学什么？去哪儿学？

你想参加合唱团，和大家一起唱歌？想学习乐器？是小提琴、钢琴、架子鼓、大提琴，还是其他乐器？器乐和声乐的课程种类多样，选择太丰富了，大家很可能会眼花缭乱。先和爸爸妈妈、学校的音乐老师聊聊自己的想法吧！

一些音乐学校也会定期举办试听课。你可以在那里尝试各种各样的乐器课程，从而获得比较全面的认识。

有些琴行还有乐器租赁服务。你可以租用各种乐器进行体验。究竟是喜欢大提琴还是单簧管？偏爱钢琴还是小号？你都可以逐一尝试，慢慢探索。

请接着跟上！

不知不觉间，我们已经走过许多国家，收获了很多奇妙的经历。不过，愉快的音乐之旅还没有结束，我们即将踏上另一段旅程。这一次，我们将穿越时空，回溯音乐的起源，再从那里慢慢地穿梭到现代。请大家系好安全带！时空飞船马上就会带着我们，划破长空，回到一万年前！

在音乐的历史里穿梭
——器乐与声乐的一万年时光

史前时代：
渴望表达自我

在史前时代，人们已经产生了借助音乐表达思想感情的渴望。他们用木材或兽骨制作长笛，把兽皮当作鼓皮，并且能够用木材和羊肠制作出简单的弹拨乐器。由于那个时代没有文字记载，所以，我们对当时音乐的旋律和节奏并不了解。

两河流域早期文明：
献给神的音乐

在古代，特别是在两河流域，人们试图通过音乐与神灵沟通，与如今教堂里的音乐和颂唱有异曲同工之妙。

许多民族不仅在节日时奏乐、舞蹈，在劳作或狩猎时也一样载歌载舞，而且声音不小，目的是为了赶走邪灵。这种习俗延续至今，大家可以在狂欢节上感受一番。

古希腊、古罗马时期：
体育与运动会

在古希腊，每逢运动会和节日，人们都会用唱诵的方式，讲述英雄的故事，一面唱诵，一面弹奏七弦竖琴（Lyre）伴奏。在当时的戏剧里，会有合唱团用演唱的方式，对戏剧里具体的情节做出评价。到了古罗马时期，人们开始在比赛中吹奏小号、圆号和长笛。

中世纪早期：
虔诚的颂唱

几乎所有宗教的仪式都少不了颂唱。最早的基督教颂唱是由犹太音乐和希腊音乐发展而来的。

当时，还没有音符和五线谱。人们通过纽姆记谱法记录旋律——"纽姆（Neume）"源于希腊语，表示"用手示意的动作"。只要读懂纽姆谱，修道士和修女就可以判断旋律的上升、下降，或是保持不变。当时的合唱也还没有分出多个声部，大家唱的都是一模一样的旋律。

骑士时代：
苦乐参半的情歌

在中世纪，有一群游吟诗人，他们走遍一座座城堡和宫殿，一面弹奏琉特琴，一面演唱他们的叙事歌谣，歌唱着得不到回应的爱情。

中世纪盛期：
多声部的颂歌

中世纪盛期，即中世纪的中期，人们开始在线条上画小圆点，用来表示音符。这就是现代五线谱的前身。

有了这种记谱方式，就可以一次性记录多种声音。从此，音乐变得更加丰盈，出现了多声部合唱的经文歌（Motet）。

文艺复兴时期：
世俗音乐

文艺复兴时期，在民间抒情歌曲的影响下，意大利牧歌（Madrigal）诞生了。这是一种复调音乐，词曲富有诗意。意大利牧歌打动了欧洲许多地区的人民。时至今日，仍有不少作曲家在努力发展这种音乐形式。

重要的意大利牧歌作曲家：

奥兰多·德·拉絮斯（Orlande de Lassus）
(1532—1594)

卡洛·杰苏阿尔多 (Carlo Gesualdo)
(1566—1613)

约翰·道兰德（John Dowland）
（1563—1626）

当时的国王和贵族爱把最好的音乐家接到自己的宫廷中，并在宫廷内修建富丽堂皇的剧院，配合卓越的舞台美术和剧场技术，舞台效果惊人，听众仿佛置身仙境。

巴洛克时期：
伟大的音乐剧

此时，意大利牧歌的音乐越来越繁复，歌词几乎难以理解。于是，人们在音乐中加入了唱诵的部分，通过歌唱讲述故事的这种形式，与其他元素混合之后，孕育出了歌剧。在巴洛克早期，意大利作曲家克劳迪奥·蒙特威尔第开始创作歌剧，成为歌剧创作的先驱。他的歌剧流传至今，仍打动着无数乐迷的心，而且有些歌剧对儿童来说也非常有趣。

巴洛克是欧洲音乐非常重要的时期。音乐体裁丰富，有歌剧、大型交响乐作品、管风琴和唱诗班的基督教音乐，以及室内乐。室内乐可以理解为小型器乐合奏，所需的演奏者不多，通常为2到9人。

伟大的歌剧作曲家和他们的代表作：

克劳迪奥·蒙特威尔第（Claudio Monteverdi）
（1567—1643）
《奥菲欧》

沃尔夫冈·阿玛多伊斯·莫扎特
（Wolfgang Amadeus Mozart）（1756—1791）
《魔笛》《唐·乔万尼》（又译《唐·璜》）

朱塞佩·威尔第（Giuseppe Verdi）
（1813-1901）
《纳布科》《阿依达》《茶花女》

理查德·瓦格纳（Richard Wagner）
（1813—1883）
《漂泊的荷兰人》《帕西法尔》

贾科莫·普契尼（Giacomo Puccini）
（1858—1924）
《托斯卡》《图兰朵》

部分巴洛克时期的作曲家和他们的创作体裁：

安东尼奥·维瓦尔第（Antonio Vivaldi）
（1678—1741）
协奏曲，如《四季》、歌剧及宗教音乐

格奥尔格·弗里德里希·亨德尔
（Georg Friedrich Händel）（1685—1759）
歌剧、神剧，如神剧《弥赛亚》

约翰·塞巴斯蒂安·巴赫
（Johann Sebastian Bach）（1685—1750）
管风琴作品，如《d小调托卡塔》、
神剧、协奏曲，如《勃兰登堡协奏曲》

格奥尔格·菲利普·泰勒曼
（Georg Philipp Telemann）（1681—1767）
歌剧、宗教清唱套曲，
又称宗教康塔塔、独奏协奏曲

古典主义时期：以人为本

在巴洛克时期，作曲家们尝试在自己的作品里展现崇高、展现完美，表现真理本身，到了巴洛克时期末期、古典主义早期，音乐的审美发生了变化，开始追求更清晰、更简单的伴奏。这种作曲风格被称为"豪侠风格"（Galant Style）。其重要代表人物是巴赫的儿子卡尔·菲利普·埃马努埃尔·巴赫（Carl Philipp Emanuel Bach）（1714—1788）。

古典主义时期大约从 1770 年开始，1830 年结束。从社会学角度来看，这一时期同样非常重要。此时，民众开始质疑世俗统治者和宗教统治者的压迫，重新正视个人的价值。一种非贵族的文化开始形成，所有音乐不再是宫廷的专属。

古典主义时期，奥地利维也纳的重要的
古典主义作曲家：

约瑟夫·海顿（Joseph Haydn）
（1732—1809）

沃尔夫冈·阿玛多伊斯·莫扎特
（Wolfgang Amadeus Mozart）（1756—1791）

路德维希·凡·贝多芬
（Ludwig van Beethoven）（1770—1827）

他们谱写了许多绝妙的交响曲、弦乐四重奏、
独奏协奏曲和钢琴曲。

浪漫主义时期：对自然的渴望

19 世纪，欧洲开始兴建工厂。工厂里的工作非常辛苦。烟囱冒出的浓烟污染了城市。许多人开始渴望一个更美丽的世界，渴望大自然，渴望神秘的森林。音乐家们也开始通过作品表达这种对自然的渴望和向往。许多充满热望与感伤的艺术歌曲不断出现。大名鼎鼎的作曲家舒伯特就创作了大量艺术歌曲。钢琴是浪漫主义时期最重要的乐器。

浪漫主义时期的重要作曲家：

弗朗茨·舒伯特（Franz Schubert）
（1797—1828）
艺术歌曲集，如《冬日曲》《美丽的磨坊女》；
交响曲；室内乐曲。

弗里德里克·肖邦（Frédéric Chopin）
（1810—1849）
钢琴圆舞曲、钢琴前奏曲、钢琴幻想曲、
叙事曲、夜曲，被誉为"钢琴诗人"。

罗伯特·舒曼（Robert Schumann）
（1810—1856）
交响曲、艺术歌曲、室内乐曲和钢琴曲

弗朗茨·李斯特（Franz Liszt）
（1811—1886）
钢琴曲、交响曲

约翰内斯·勃拉姆斯（Johannes Brahms）
（1833—1897）
交响曲、室内乐曲

近代：
动荡的年代

大约在 19 世纪末，翻天覆地的变化每天都在发生：科技发明不断涌现，城市迅速发展。这些变化令人兴奋，也让人担忧。与此同时，第一次世界大战即将爆发，不安的氛围笼罩着民众的生活。这些动荡和骤变也影响着当时的音乐。

20 世纪上半叶发生了两次世界大战；其间，还爆发了一次世界经济危机，数百万人失业。随之产生的恐惧和混乱也在当时的音乐里得到了充分的体现。作曲家们找到了与时代吻合的表现形式，发展出了"无调性音乐"，打破了古典调性音乐的音律和谐规则。

---

19 世纪末期的作曲家以及他们的特别之处：

古斯塔夫·马勒（Gustav Mahler）
（1860—1911）
在交响曲中混入游乐场的音乐和牛铃，
但并不是为了搞笑，听起来有种矛盾感、冲突感。

克洛德·德彪西（Claude Debussy）
（1862—1918）
把印象派画作的明暗光影与缤纷色彩融入音乐。
"水"是德彪西音乐一个非常重要的主题。

理查德·施特劳斯（Richard Strauss）
（1864—1949）
他的音乐体现了从浪漫主义到现代派的过渡。
歌剧和交响诗感情充沛，极富感染力。

埃里克·萨蒂（Erik Satie）(1866—1925)
作品质朴诙谐、超凡脱俗，领先于他的时代。
他创作了轻柔如背景音乐的作品。

---

20 世纪上半叶的重要作曲家：

阿诺尔德·勋伯格（Arnold Schönberg）
(1874—1951)
他的作品在很大程度上发展了浪漫主义后期音乐，
开创了"十二音音乐"体系。

谢尔盖·普罗科菲耶夫（Sergej Prokofjew）
(1891—1953)
他创作过电影音乐，还写了带有故事旁白的童话交响曲《彼得和狼》。

德米特里·肖斯塔科维奇(Dmitri Shostakovich)
(1906—1975)
他会在作品中融入政治事件。其中，《第七号交响曲》创作于第二次世界大战期间，献给被德军围困的家乡——苏联城市"列宁格勒"，因此，此曲副标题为《列宁格勒》。当时的列宁格勒就是如今的圣彼得堡。

每时每刻：
娱乐从未缺席

在皇家宫廷，宾客用餐时，有宫廷乐师演奏助兴。古时的集市和民间节日里，也有音乐表演增添节日气氛。但是，到了19世纪，音乐娱乐才开始大众化。同样在19世纪，歌剧的小兄弟"轻歌剧"诞生了。它的音乐形式多样，有简单直接的，也有小巧精致的。情节往往跌宕起伏，风格轻松活泼，而且每一部轻歌剧都配有舞蹈。

著名的歌舞剧作曲家及其代表作：

雅克·奥芬巴赫（Jacques Offenbach）
（1819—1880）：
《地狱中的奥菲欧》。雅克·奥芬巴赫创作的旋律充满了生活气息，欢乐而多彩，常常讽刺当时的社会和当局。

小约翰·施特劳斯（Johann Strauss Jr.）
（1825—1899）：
轻歌剧《蝙蝠》。

弗朗兹·莱哈尔（Franz Lehár）
（1870—1948）：《风流寡妇》。

1920年，广播出现了，刚开始只播报新闻，但没过多久，广播里也开始播放音乐。此时，一种新的音乐剧在美国纽约逐渐成形，那就是音乐剧。音乐剧融合了各种风格的音乐和歌曲，穿插着舞蹈和对白。直到今天，仍有许多新的音乐剧被创作出来。

音乐剧推荐：

《西区故事》（1957）
作词：史蒂芬·桑坦（Stephen Sondheim）
音乐：莱昂纳多·伯恩斯坦（Leonard Bernstein）

《屋顶上的小提琴手》（1964）
作词：谢尔顿·哈尼克（Sheldon Harnick）
音乐：杰瑞·巴克（Jerry Bock）

《猫》（1981）
作词：T·S·艾略特（T.S. Eliot）
音乐：安德鲁·劳埃德·韦伯
　　　（Andrew Lloyd Webber）

《狮子王》（1997）
作词：蒂姆·赖斯（Tim Rice）
音乐：艾尔顿·约翰（Elton John）

爵士乐时期：
三大洲的融合

当年，从非洲被运往美国南部各州的奴隶也带去了自己的音乐。这些音乐慢慢与各族移民的音乐融合。欧洲的进行曲和舞曲遇上了非裔美国人的流行歌曲和宗教歌曲（比如，福音音乐、黑人灵歌），于是一种新的音乐形式诞生了，那就是爵士乐。

很快，美国北部的芝加哥和纽约也开始演奏爵士乐。远在欧洲的音乐家们也吸收了这种音乐风格，并以自己的方式进一步发展了爵士乐。1900 年前后，黑胶唱片问世，爵士乐迅速在欧洲传播开来。最早的黑胶唱片很脆弱，每一面只能录制一首 3 分钟左右的歌曲。直到今天，爵士乐依然流行，且风格多样，杰出的音乐家和歌手无数。

几位爵士乐大师：

路易斯·阿姆斯特朗（Louis Armstrong）
（1901—1971）
小号

比莉·哈乐黛（Billy Holliday）
（1915—1959）
歌手

埃拉·菲茨杰拉德（Ella Fitzgerald）
（1918—1996）
歌手

迈尔斯·戴维斯（Miles Davis）
（1926—1991）
小号

查理·帕克（Charlie Parker）
（1920-1955）
萨克斯

本尼·古德曼（Benny Goodman）
（1909—1986）
单簧管

卡拉·贝利 (Carla Bley)（1938—）
钢琴

1950 年以后：
年轻人的狂野音乐

20 世纪 50 年代，专为年轻人制作的服装、杂志和音乐首次出现。年轻人开始穿牛仔裤，阅读青年杂志，带着便携式收音机听流行歌曲。

1950 年以后，美国出现了一种让人血脉偾张的音乐风格：摇滚乐。快节奏、电吉他，偶尔搭配人声的吼叫，年轻人非常喜欢。

大约在同一时期，餐馆和夜店里出现了点唱机。这是一种装满唱片的台式音乐播放器，只要投入硬币，就可以点自己喜欢的歌曲听。

**当时最重要的摇滚明星
和他们的热门单曲：**

比尔·哈利（Bill Haley）（1925—1981）
《昼夜摇滚》（*Rock around the Clock*）

小理查德（Little Richard）（1932—2020）
《百果狂欢》（*Tutti frutti*）

埃尔维斯·普雷斯利（猫王）
（Elvis Presley）（1935—1977）
《猎狗》（*Hound Dog*）
《机不可失 时不再来》（*It's Now or Never*）

1960 年前后，英国掀起了新一轮的潮流：节拍音乐（Beat Music），不间断的节拍贯穿整首歌曲，舞台焦点不再是单个歌手，而是整个乐团。英国的利物浦和伦敦成为热门音乐和酷时尚的中心。

> **早期的代表乐团及传唱至今的歌曲：**
>
> **披头士乐队**（The Beatles）（1960—1970）
> 《救命！》（*Help！*）《昨日》（*Yesterday*）
> 《你只要爱》（*All you need is Love*）
>
> **滚石乐队**（The Rolling Stones）（1962）
> 《满足感》（*I Can't Get No Satisfaction*）
> 《弹簧腿杰克》（*Jumpin' Jack Flash*）
> 《安吉》（*Angie*）
>
> **谁人乐队**（The Who）（1964）
> 《我这一代》（*My Generation*）
> 《汤米》（*Tommy*）摇滚歌剧

新运动："抗议歌曲"与音乐节

几个世纪以来，欧美歌手和音乐家就已开始批判社会的弊病。从 1960 年起，美洲和欧洲的歌手又开始演唱"抗议歌曲"。这些作品或批判现实，或反对战争。歌手通常使用吉他伴奏，这种音乐被称为民谣音乐。

> **两位代表人物：**
>
> **鲍勃·迪伦**（Bob Dylan）（1941—）
> 《答案在风中飘逝》（*Blowin' in the Wind*）
> 《像一块滚石》（*Like a Rolling Stone*）
>
> **琼·贝兹**（Joan Baez）（1941—）
> 《唐娜唐娜》（*Donna Donna*）
> 《别了，安吉丽娜》（*Farewell, Angelina*）

同一时代，大型音乐节在美国兴起。这些音乐节通常持续数天，人们可以在音乐节上听到摇滚乐、民谣，也可以听到非裔美国人的蓝调和灵魂乐（Soul）。

1969 年 8 月举办的伍德斯托克音乐节（The Woodstock Festival）吸引了超过 40 万名的听众。20 世纪 70 年代中期，又出现了两场新的音乐抗议运动：其一，是来自英国的朋克摇滚，其代表乐队是"性手枪乐队"（Sex Pistoles）；其二，是来自纽约非裔美国人社区的"嘻哈"（Hip-Hop）。

明星舞台的时代：闪耀的魅力

在 20 世纪最后几十年中，精心设计的服装和华丽的舞台表演成为流行音乐中必不可少的元素。一些明星在巡回演唱中，不断变化自己的风格。

> **三位代表人物：**
>
> **大卫·鲍伊**（David Bowie）（1947—2016）
> **麦当娜**（Madonna）（1958—）
> **迈克尔·杰克逊**（Michael Jackson）（1958—2009）

我们的时代：无与伦比的多样性

如今，音乐风格和流派种类不计其数，聆听音乐的渠道也多种多样，每个人都可以轻松听到自己最爱的音乐，这些都是从前无法想象的。音乐的奇幻旅程永远也不会结束。明天，我们又会在哪儿，听着什么样的音乐，跳着什么样的舞呢？

嘘，你们听……

福音音乐

乡村音乐

说唱歌曲

轻音乐

流行金曲

朋克

民族音乐

蓝调